D0988701

MÈRE LA MORT

JEANNE HYVRARD

MÈRE LA MORT

LES ÉDITIONS DE MINUIT

IL A ÉTÉ TIRÉ DE CET OUVRAGE
CINQUANTE EXEMPLAIRES SUR
PUR FIL LAFUMA NUMÉROTÉS
DE 1 À 50 PLUS SEPT EXEM-
PLAIRES HORS-COMMERCE NUMÉ-
ROTÉS DE H.-C. I Â H.-C. VII

IL A ÉTÉ TIRÉ EN OUTRE QUATRE-
VINGT-DOUZE EXEMPLAIRES SUR
BOUFFANT SÉLECT MARQUÉS
« 92 » NUMÉROTÉS DE 1 À 92
ET RÉSERVÉS À LA LIBRAIRIE DES
ÉDITIONS DE MINUIT

Mère la mort, n'aie pas peur. Je ne suis pas guérie. Je deviens la muraille sans soif ni demeure. Ils sont venus me prendre avec les filets qu'ils jettent sur ma tête. Ils sont venus me prendre avec les sourires qui découvrent leurs dents. Ils m'ont allongée sur la table au milieu des gâteaux. Ils ont coulé des bougies dans mes oreilles pour que je ne puisse plus rien sentir de leurs mensonges. Ils ont allumé les mèches de mes orteils pour que je n'entende plus le vide de leurs paroles. Ils ont dit joyeux anniversaire. La cire a coulé dans mon ventre pour le sceller à jamais. Ils ont coupé mon corps en quartiers pour que je n'entende plus le hurlement des coquelicots quand ils fauchent les avoines. J'ai bu si fort que je n'entends plus rien. Ni ma chair qui grésille aux fenêtres des prisons. Ni les pelletées de terre qu'ils jettent sur ma tête. Ni le cri de l'enfant que sa mère étouffe. Ni mon corps qui glisse le long du mur.

Mère la mort, n'aie pas peur. Je ne saurais jamais écrire autrement qu'en claudiquant. Ils m'ont arraché les gencives. Mes dents restent ainsi sans savoir vers quel vent cingler. Mes dents restent ainsi sans savoir pour quelles tempêtes. Pour quel sombrement où nul ne peut aller. Ils m'ont enfermée. Ils m'ont condamnée à mort. Ils ont mis du sable dans ma bouche. Ils m'ont empêchée de crier. Mais le sang coule de ma vulve comme mon unique bonheur. Le sang coule de mon ventre comme l'ultime protestation qui ne leur parvient pas. Mon corps en sang se fait l'amour à lui-même jusqu'au dernier moment. Le soleil ne traverse plus mes carreaux fracturés. Reviennent du passé les forces de la nuit. J'habite la séparance. Route du désastre. Carrefour de la folie.

Mère la mort, je cours vers toi. Accueille-moi dans les pierres ocre de tes façades. Dans les voûtes gothiques de tes cuisses. Dans le silence de tes fenêtres. Je cours vers toi pour survivre. Les mains tendues vers le prunier. Combien de doigts me manque-t-il, je ne sais plus. Je n'ai jamais appris à compter. Je ne saurai jamais parler. Je n'irai pas à l'école des français. Rapprends-moi la langue qu'ils m'ont arrachée. Rapprends-moi la langue sédimentée dans les golfes de ma mémoire. Rapprends-moi la langue où les mots signifient aussi leur contraire. Revoilà surgies les forces de la nuit. Je deviens pareille à toi. Les acides rouges coulent dans les méandres de mon cerveau paralysant mes membres. Mon visage rentre dans la muraille. Ma tête éclate découvrant les charniers. Les oiseaux coulent une pierre au cou dans la rivière de ma détresse. La nuit gagne. Bientôt, je ne pourrai ni parler ni bouger.

Mère la mort, tu as gagné. Je ne peux t'échapper. Je

n'entends plus que le discours monocorde de la rivière.
Le grelot du chien sur le chemin. Le pas de la jument
dans l'écurie. Je ne connais plus que l'aigle qui geste
dans mon crâne. Les corbeaux par centaines dans le
torse de la falaise. Les chauves-souris voltant le soir
autour de la maison. Mais il n'y a personne dans ce village. Peut-être n'est-ce pas vraiment un lieu de repos.
Peut-être sont-ils aux champs. Ou bien est-ce déjà la
moisson? Il est bien tard ce soir. Le chant des insectes
n'a pas tout à fait la même couleur.

L'arrachement à la nuit. Depuis combien de temps,
je ne sais plus. Depuis toujours sans doute. Ou seulement depuis la première goutte de sang dans mon
ventre, quand ils m'ont dit : il est temps de mourir. La
vie se retire de moi. Tout doucement. Le dénouement.
Le dénuement. Les acides rouges dans ma chair. L'autre
côté du miroir. Les chevaux noirs valsent dans les
ravins de ma souffrance. L'oiseau-pieuvre colle aux
murs de la chambre.

Ils disent qu'ils vont me soigner. Ils disent que je dois
guérir. Ils ont mêlé les mots et ils ne savent plus parler.
Ils ont mêlé les mots et ils confondent le contraire et la
négation. Ils ont mêlé les mots et ils ne savent plus ton
nom. Ils ont dit qu'ils allaient me guérir. Comme si ce
vide n'était pas la vie même. Comme si la vie n'était pas
intermittente. Comme si la pensée elle-même. Comme
si ce n'était pas par cette béance que commençait la vie.
Comme si la maison que tu reconstruis n'allait pas être
engloutie par la falaise.

11

Mais ils ont eu peur. Ils n'ont plus voulu entendre le petit battement dans le ventre des femmes. Alors, ils ont récité. Anonné. Incanté. Ils ne parlent plus. Ils jactent. Ils engluent. Ils exorcisent. Ils ont fait de nous les bavants. Les hurlants. Les muets. Ils ont relégué les vieillards dans les mouroirs. Ils ont caché les mourants avec des paravents. Ils ont proclamé les femmes, la vie même. Ils ont dit n'importe quoi pour conjurer leur peur. Ils se sont bouché les oreilles pour ne pas entendre le petit battement au fond de nos ventres. Ils ont nié l'engloutissement qui nous ramène à toi. Ils nous ont mises en coupe réglée. Ils en sont morts à leur tour. Ils n'ont plus dans les bras que les pierres tombales qu'ils ont scellées sur nos corps. Ils n'ont plus dans les mains que les galets qu'ils ont mis dans nos bouches. Ils n'ont plus entre leurs jambes que les terres stériles qu'ils se sont appropriées. Ils ont tordu les mots. Ils ont confondu le pouvoir et la puissance. Ils ont fait de nous la mort. Ils n'ont plus personne avec qui converser. Ils sont seuls.

Pourtant, il suffit d'écouter. J'ai soif. Je suis dans son ventre, sa matrice se resserre. Elle va m'étouffer. Elle ne veut pas me laisser vivre. Je n'ai presque plus d'eau. Ou bien est-ce la rivière qui baisse en contrebas de la maison? Il fait de plus en plus chaud dans ce ventre. Les parois se resserrent. Je ne peux plus bouger. J'ai envie de crier. Mais je ne sais pas. Elle retient l'eau pour que la rivière s'assèche. Pour que je meure. C'est l'été immobile dans son ventre. Sa matrice se resserre. Elle va m'étouffer. Nous luttons à mort. Un combat sans merci. Elle sait qu'elle me tue. Son mensonge la dévore. Elle tricote sur mon ventre dilaté. Je rayonne de bonheur. J'attends un enfant. Ils disent, le triomphe de la vie. Qu'en savent-ils? Faut-il qu'ils aient peur. La maternité. La vie même. Mais dans son ventre, elle m'étouffe.

Pourtant, elle n'y parvient pas tout à fait. Ses tentacules enserrent mon corps. La montagne se resserre. La vallée ne parvient pas jusqu'au fleuve. Je me défends. Je me défends tellement que je survis. Un peu. Pour combien de temps? Je suis la plus forte. Un moment. Les parois s'écartent. Je respire. Je vis. Non. Elle recommence. La matrice se resserre sur moi. L'angoisse. Je vais mourir. Je n'ai presque plus d'eau. Le cœur de l'été immobile. Elle rayonne de bonheur. Dans son ventre, elle me tue. Il fait si sec. Un mouvement infernal. Rrrroooouuuu. Les parois s'écartent. Kchchchiiii. Elles se resserrent. Rrroooouuuu. Kchchiiii. Le mouvement recommence. Des mains sur leur proie. Rrrroooouuuu. Kchchiiii. Plusieurs mois durant. Rrrroooouuuu. Kchchiiii. La matrice se resserre. Le fœtus un moment le plus fort. La matrice de nouveau contractée. Les acides rouges qui suintent. Les acides rouges qui pénètrent mon corps gestant. Les acides rouges entrés dans ma tête pour toujours. Le mouvement infernal. Rrrroooouuuu. Kchchiiii. La matrice qui se resserre. La rivière presque à sec. Le fœtus le plus fort. Peut-être pas. Juste encore assez d'eau jusqu'à l'automne. La marée. Mère angoisse.

Mère la mort. Tout ensemble la vie et la mort. La respiration du monde. Le torse de la falaise abritant mon délire. Je viens vers toi. Les soleils de ton corps. La chair de tes balcons. L'accablement de mon ignorance. L'arbre sans feuille sur la montagne. J'ai pris pour tes yeux les reflets de ma fatigue dans les galets de la rivière. J'ai pris pour un soleil l'éclaboussure de ma tête contre un rocher.

Tu me caresses le dos. Tu tentes vainement de guérir la blessure des chevaux bleus de l'horizon. La cicatrice de ton corps contre le mien. Ta matrice contre ma chair à moi. La tienne encore. Peut-être. Je ne sais plus. La même sans doute. Le fil du temps. Le cordon ombilical. Les écheveaux de laine qu'elle emmêle autour de mon cou pour m'étouffer. Je lui tends les bras. Mes bras croisés sur la poitrine. Genoux pliés. Corps recroquevillé. Le grand retour. Les dormants. Les momies. Les fœtus. Tu me caresses le dos pour que cesse la blessure des chevaux bleus de l'horizon. Ta matrice comme une main mortelle autour de moi. Tu ne fermes pas les volets. Au-delà des murs, le manteau des songes recouvre la campagne. Ta main dans ma bouche pour y glisser une pièce d'argent. Ou ton doigt seulement. Je ne sais pas. Une obole. Une aumône. Le remboursement d'une dette contractée par qui au juste. Je ne me souviens que de ce qu'il faut redonner. Ton doigt dans ma bouche. Une pièce d'argent. Avec quoi paierais-je le nocher si tu ne veillais sur mon endormissement.

Tu caresses sur mon dos la blessure des chevaux bleus

de l'horizon. Je redeviens fœtus. Je rentre en toi. Pourquoi faire une obole? Il n'y a rien à racheter puisque tu n'es plus là. Plus rien à racheter que le langage qu'ils ont tordu pour nous empêcher de crier. Le sommeil. La mort. La refusion. Tu ne dors pas. Tu souris. Tu m'accueilles. Le corps tisane de la campagne s'abandonne à la nuit. Le pas des chiens sur le gravier. Le pas de la jument dans l'écurie. Le cri des oiseaux dans la falaise. Un jour, elle tombera. Enlisant la maison. Tu as peur. Tu veilles. Tu plâtres les lézardes de mon corps. Tu consolides les voûtes de mes cuisses. Tu captes le suintement de mes plaies. Je rentre en toi. J'éclate. L'angoisse cesse. Les bras croisés sur la poitrine. Les dormants. Les momies. Les fœtus. Le grand retour. Nous sommes deux. Nous sommes vingt. Nous sommes mille. Éclatées sur l'oreiller de tes bras. Une outre gonflée. La peau crève enfin libérant les pierres, les arbres, les rivières. Un accouchement peut-être. Une délivrance sûrement. Le grand repos. Les draps blancs. Les lits de fer. Les murs s'écaillent. Tu t'obstines à les repeindre. Mille moi éclatés. Un éventail qui se déplie. Le je qui s'ouvre multicolore, éventant mon angoisse. Le faible battement entre tes doigts. L'angoisse cesse. Ils ne sont plus à ma suite à raboter les lumières qui étincellent quand je deviens toi. Tu me fais l'amour. Je leur échappe. Bientôt, j'entrerai dans l'été immobile. Il me tend les bras, le regard fixe. Je suis le nénuphar sur l'étang impressionniste. Le cancer nucléaire des enfants irradiés. La plaie ouverte de la montagne de bauxite. Je

15

leur échappe tout à fait. Multipliant mes noms, je suis toujours l'autre.

Ils appellent les soldats. Vérification d'identité. Ils me battent pour que j'avoue. Ils me jettent nue sur le carrelage. Ils m'attachent dans mon lit. Je leur échappe quand même. Ils attendent. Mes papiers brûlent dans la cheminée. Le serpent à plumes s'enfuit et ne revient pas. Le serpent se perd dans la mer. Vérification d'identité. Ils me demandent mes papiers. Mais ils sont partis en fumée. L'attestation de nationalité. Je leur montre le matricule qu'ils ont tatoué sur mon bras. Le certificat de vie. Qu'ils touchent mes yeux brûlés par la lumière.

Mère la mort, je rentre en toi, comme un grand éventail déployé autour de ton ventre. Nous faisons l'amour. A perpétuité. Je suis condamnée à perpétuité. L'internement. L'asile. Les portes de béton. Les barbelés. Les crématoires. Mon visage de brique. Je leur échappe. Les lumières hurlent. Les sirènes fracturent la nuit. Les projecteurs balaient la campagne. Vérification d'identité. Tu mets une monnaie entre mes dents. Je leur échappe. Je traverse le miroir. Je rentre chez moi. Il n'y a rien à payer. Je suis chez moi. Vérification d'identité. Osmose. Fusion. Cosmation. Le sommeil. L'amour compact. La blessure qui guérit. Les chevaux bleus de l'horizon redeviennent les soleils immobiles. L'angoisse se dénoue. Ils ne peuvent plus me saisir. Ni m'approprier. Ni m'annexer. Je suis innommable.

Trente années. Tant d'années. Le grand séquestrement. Le port des millénaires d'errance. Le grand

16

retour. Rupture d'identité. Ils ne peuvent plus rien sur moi. Mon nom ne figure pas sur ma carte d'identité. Je figure sur les registres. Mais pas à la personne préposée. Pas à la date indiquée. Pas au moment supposé. Rupture d'identité. Un moment d'inattention des surveillants. Une évasion. Je suis dans le soleil immobile. Ils ne peuvent plus rien sur moi.

Je leur échappe. Je suis innommable. Je suis mon propre nom. Pas celui qu'ils ont inscrit sur ma chair pour m'approprier. Pas celui qu'ils ont tatoué sur mon front de bonne épouse. Mon vrai nom. L'innommable. Le nom arraché un jour que, sortant de l'asile, je n'ai pas voulu poser pour la photo de famille. Un jour qu'une petite fille passait des petits fours. Un jour qu'ils jouaient du piano pour mon retour.

Rupture d'identité. Je suis innommable. Je suis le craquement des pas sur le plancher. Le grincement du volet. Le goutte-à-goutte de la citerne. La garrigue où ils me poursuivent. La muraille où ils m'enferment. Le mur vers lequel ils me tournent. Je suis la falaise qui s'écroule peu à peu. L'éboulement de la lumière résurgente. Le fermoiement des portes qui me protègent des jactants. L'ennamourement de ton silence autour de moi.

Je suis l'innommable, car ils ne savent plus le nom des choses. Ils confondent la mort et la non-vie. Ils confondent le contraire et la négation. Ils ont si bien fait qu'ils ont tordu les mots. Ils ne savent plus parler. Ils ont érodé les adjectifs. Perverti les verbes. Multiplié les substantifs. Ils ne m'ont laissé que le chant des oiseaux.

Le nom des choses. Au nom des choses. L'ordre des choses. La mort présente dans la maison. Le vent des causses assèche les murs. Le crépi tombe par plaques. La corniche s'effrite au-dessus du chemin. Les pierres ocre apparaissent une à une. Elles sont là, tout près. Sous l'enduit. Pourquoi les avaient-ils cachées? Pourquoi les avaient-ils séparées? Le nom des choses. Ton nom. Le lézard laisse sa queue dans les mains saisissantes. Les guêpes attrapent les mouches au vol. Les papillons collent leurs lumières aux carreaux. Les pierres tombées de la falaise remplissent la cour. La clé de voûte se déplace peu à peu. Les poutres pourrissent par endroits. La source s'infiltre dans les fondations. Ne pleure pas. Les maisons sont faites pour les ruines. Les cadavres pour les vers. Les feuilles pour les fondrières. Ne pleure pas. L'amour retarde la mort. Le nom des choses. Le vent des causses. Le gémissement de la pierre. La poussière du crépi.

Tu crois qu'il faut rejointoyer les pierres. Cimenter la corniche. Remplacer les tuiles brisées. Tu luttes contre l'éboulement de la falaise. Tu déblaies les gravats accumulés depuis des siècles. Tu creuses avec acharnement. Le sol a monté d'un étage. Les fenêtres m'arrivent aux chevilles. Par endroits, ma tête touche les plafonds.

Toi aussi tu conjugues de travers. Tu oublies le présent. Tu crois qu'ils jettent ici ce qui tombe de la falaise. Mais ils sont morts depuis longtemps. Tu n'es plus qu'un présent dilaté que rien ne peut combler. Je te demande de m'expliquer les temps. Tu n'en sais pas plus que moi. Tu confonds le passé et le futur. Tu vois que je me noie. Tu me tends la perche du futur anté-rieur. Je m'y accroche. Mais tu bascules avec. S'agit-il d'un passé vu du futur ou d'un futur vu du passé? Tu n'en sais rien non plus. Tu essaies un autre mode. Tu crois que c'est cela. Mais non. Cela c'est le suppositif. Ou le faillitif. Ou l'imprécatif. Ou le prophétal.

Ou bien encore l'imaginaire futur. Quand tu dormais au fond de la classe. Quand déposaient dans la maison les épaves de la grammaire. Quand sédimentaient dans mon corps les contraires oubliés. Ils jettent dans cette pièce les débris qui tombent dans la cour. Ils étouffent la source qui suinte de la falaise. Ils ignorent l'eau dans les fondations. Tu n'es plus qu'un présent dilaté qui refuse de parler. Tu pellètes les règles de grammaire. Tu dégages les voûtes pour me faire respirer. Tu évacues des monceaux de poteries brisées. Tu retrouves amon-celées dans les débris mes vieilles copies annotées de rouge. Vingt et une fautes d'orthographe. Aucun pro-grès. Il y a des gravats jusqu'à la voûte. Tu en emplis des brouettes que tu renverses dans le ravin. Depuis combien de jours tes patients travaux pour retirer la terre qu'ils ont mise dans ma bouche? Depuis combien d'années tes voyages vers le ravin pour que renaisse ma parole?

Mais je ne peux pas. Les mains coupées ne repoussent pas. Les gorges trouées ne cicatrisent pas. Les corps exfoliés ne régénèrent pas. Je ne sais pas l'orthographe. Ils me battent jusqu'à ce que je la trouve. Ils disent que je ne sortirai pas d'ici tant que je n'écrirai pas correctement. Ils disent qu'ils vont me renvoyer à l'hôpital puisqu'ils ne peuvent rien faire de moi. Je leur dis que je ne sais pas. Ils prétendent que cela se sent. Mais je ne sens rien du tout. Que la tumeur qui fleurit dans ma tête et me paralyse de plus en plus. Je désapprends à parler. Je désapprends à écrire. Un bout de fil dépassait, un jour d'été trop rouge, et voici le tricot tout entier qui se défait entre mes mains. Écru, bisé, grisé, burel. Elle tricote les couleurs de ma peine. Voyons, réfléchis. Où est le sujet? Où est le participe? Je vous dis que je ne sais pas. La tumeur grossit. Laissez-moi partir. Allons, fais un effort. Je ne peux plus. Analyse la phrase. Ils me battent. Mais je ne retiens pas leurs propositions. Je confonds toujours. Tu creuses de plus en plus fort. Je désapprends les verbes. Tu renverses tes tombereaux dans le ravin. Je désapprends les mots. Tu recommences ton travail. Les voyelles se déforment. Un cri. Une tentative de retrouver le son dont j'ai gardé la mémoire. Je crie encore. Je cogne ma tête contre les murs. Je hurle le long du couloir. Tu ne dis rien. Tu n'es plus qu'un présent dilaté qui refuse de parler.

Mère la mort, je cherche ton nom. Je le connais. Je le savais avant d'aller à l'école des français. Ils m'ont dit que ce n'était pas vrai. Ils m'ont dit qu'ils s'étaient sacrifiés pour moi. Ils m'ont dit que je n'arriverai jamais à rien. Ils m'ont dicté des pièges pour que je tombe dedans. Ils ont scellé mon ventre avec un encrier. Ils ont lacéré mon corps avec des plumes d'acier. Ils ont dit que c'était pour mon bien. Ils ont si bien fait que j'en ai perdu ton nom. C'est lui que je cherche dans mes hurlements. C'est lui que j'entends quand tu m'ouvres les bras dans la nuit.

Mère la mort, comment leur parler puisqu'ils ont tué les mots? Que craignaient-ils que je leur dise? Pourtant la montagne. Le discours monocorde de la rivière. L'écho d'un petit battement. Quand je courais pieds nus dans la forêt. Mais les envahisseurs sont venus. Ils ont pris nos terres. Ils ont multiplié les mots. Ils ont ajouté des temps pour être sûrs de ne pas se souvenir. Ils ont ajouté des temps pour dire c'est du passé. Ils ont ajouté des temps pour ne pas avoir à rendre compte. Rapprends-moi la langue sans passé ni futur. Rapprends-moi la langue des marécages. Rapprends-moi la langue entre la terre et l'eau.

Ils ont cassé les branches des noms. Ils se sont coupé des racines. Ils ont multiplié les sens. Ils ont perdu le tronc. Pourtant. Le carrefour des chemins dans la forêt du monde. Le confluent des rivières dans la mer. La place du village dans les escaliers. Mais non. Ils ont eu peur du petit battement dans le ventre des femmes. Les mots n'ont plus de sens. Les mots dans leurs mains de pacotille. Les mots dans leurs bouches machinales. Ils ont coupé les arbres pour en faire des croix. Ils ont relégué les vieillards dans les mouroirs. Ils ont déporté les défunts hors des villages. Ils ont inventé des légendes pour conjurer leurs peurs. Ils ont travesti les mythes de notre commune mémoire. Ils se sont cru les maîtres du monde. Ils ont cru posséder. Ils ont perdu l'amour. Ils ont cru conjuguer les verbes. Ils ont perdu le un. Mais les mots n'ont qu'un sens. Ils ont perdu ton nom. Mais ils n'ont pu tuer la mort. Alors, ils l'ont enfermée.

Ils sont là-bas de l'autre côté de la vallée. Pas très loin. A quelques heures de marche. A peine. Mais je ne peux pas retourner parmi eux. Leur verroterie qu'ils exhument comme des trophées. Leurs évidences qu'ils prennent pour une pensée. Leur rage à raboter, normaliser, enrégimenter. Leur parade pour masquer leur démission. Leur louvoiement. Leur fuite. Leur mensonge. Ils font un tel bruit, les jactants. Pas même une parole. Pas même une fureur. Pas même un cri. Des mots, rien que des mots. Du ciment. Pour couvrir leur vide. Du ciment. Pour se reconnaître du même clan. Du ciment. Pour prendre possession de nous.

Mère la mort. La séparance. La souffrance hiver comme été. Je marche vers toi. J'ai si mal. Je m'enfermerai là-haut dans ton crâne. Les jours ressembleront à l'éternité de tes mains. Je suis si fatiguée. Depuis si longtemps que je lutte. Depuis si longtemps que la folie fait son lit entre mes bras. Depuis si longtemps que je lui résiste. Depuis si longtemps que je deviens les murs de ma propre maison. Depuis si longtemps que les eaux s'accumulent à l'intérieur des murailles. Depuis si longtemps que je marche vers le grand repos. Je ne peux plus. Pourquoi faire semblant?

MÈRE LA MORT

Je m'ouvre les artères. Elles giclent sur les murs de la chambre. Ils parlent de technique. De composition. D'inspiration. De filiation. Ils parlent de ma poitrine ouverte sans voir le sang qui coule sur mes mains. Je n'en peux plus d'être devant cette fenêtre où planent les corbeaux. Je tente vainement d'inventer des phrases. Mais les arbres mauves vadrouillent sur les routes à la rencontre des mots coulant de mon corps broyé. Mais non. Ils veulent savoir le pourquoi et le comment. Ils n'écoutent pas le mal. Ils donnent des remèdes. Ils ne veulent pas entendre. Ils se bouchent les oreilles avec de l'imparfait. Ils disent, c'est du passé. Ils disent, cela passera. Je ne parviens toujours pas à conjuguer l'espace. Encore moins à décliner le temps.

Les acides dérivent dans mon crâne sans qu'on puisse dire comment ni pourquoi. Les acides rouges continuent la tranquille érosion de la falaise de ma raison. Ils disent qu'ils vont me renvoyer à l'hôpital. Je ne trouverai pas l'impossible langage qui leur ferait éclater dans les mains les phrases qu'ils ont mutilées. Les conjugaisons de l'imaginaire quand les avoines deviennent les sirènes d'outre-raison. Je n'ai plus besoin de rien. J'ai des vivres pour des mois. Des années peut-être. Je veux seulement rester assise dans un coin de la chambre. L'angoisse de mes épaules dénouée dans l'engloutissement de la maison. Je redeviens toute petite dans ton ventre. Nous cessons enfin de lutter. Depuis si longtemps que tu veux m'étouffer. Depuis tant d'années que je suis en toi. Depuis tant d'années que ta matrice se resserre, asséchant les eaux autour de moi. Depuis tant d'années que nous luttons l'une contre l'autre, sécrétant les poisons qui nous rendront la plus forte. Depuis tant d'années que tu m'étouffes en toi. Depuis tant d'années que tu me rejettes comme un cancer. Depuis tant d'années que je survis en m'installant au cœur de toi.

Mère la mort, cessons cette lutte éperdue. Je m'abandonne. Prends-moi tout à fait. Achève ce que tu as commencé il y a si longtemps. C'est l'été. La rivière baisse depuis toujours. Je n'entends plus que son discours monocorde. Le chant des oiseaux quand ils se posent sur la terrasse. Le lézard qui avale les insectes le long des pierres. Les libellules qui s'égarent entre les deux fenêtres. Les galets rouges dans le fond de la rivière. Elle est sur le balcon. Elle dévide son écheveau de laine. Elle en fait des pelotes qu'elle range dans son panier d'osier.

Le maréchal-ferrant chauffe les fers. La fumée. Le pied de la jument frappe nerveusement. Les tenailles tombent sur les pierres. Les voix rauques. Le martèlement sur le fer. Ils sont trois autour d'elle. Sur son balcon, la femme en robe mauve regarde la scène. Ils disent que ce n'est pas vrai. Que c'est seulement le miroir au-dessus de la cheminée. Pourtant j'entends le bruit du volet qui frotte contre la terrasse. La jument se débat. Ils essaient de la calmer de la voix. Mais elle se débat dans le lit où ils l'ont attachée. Elle se tord contre la muraille. Ils sont deux à la maintenir. Ils lui tiennent le pied retourné pour enfoncer le fer. Ils enfoncent les clous. Elle ne veut pas. Elle veut user ses sabots dans la campagne. Elle veut sauter les barrières. Elle veut courir dans les ravins. Elle ne veut pas tirer leurs charrettes. Elle veut courir dans les champs. Mais les chevaux sauvages sont condamnés à la capture.

Elle dit tout le temps ils. Ils lui ont pourtant expliqué ce qu'il fallait dire et ce qu'il ne fallait pas dire. Ils lui ont expliqué là-bas la route sans fleurs. Ils lui passent une courroie autour de la patte pour la lui faire retourner. Elle ne veut pas comprendre qu'il faut conjuguer les verbes. Mais tout à coup. Un moment d'inattention. De désespoir. Ou de courage. Le je. Je leur flanque une ruade qui les envoie rouler de l'autre côté du chemin. Ils lui expliquent qu'elle n'est pas sociable. Mais je n'aime que le cheval qui se débat. Le grelot du chien sur le chemin. Les oiseaux dans la falaise. Les pierres éclatées dans les soleils immobiles. Ils disent concessions. Juste milieu. Compromis. Mais je n'aime que le discours monocorde de la rivière et les fleurs sur les toits.

Ils ne veulent rien savoir. Ils sont quatre à la maintenir. Mais mon corps s'arc-boute et va s'effondrer contre la muraille. Maman. Maman. Viens vite. Elle a une crise. Ils essaient quand même de la maintenir debout. Elle va s'effondrer de son énorme poids. Elle va les écraser sous elle. Ils sont cinq à la tenir. Ils lui ont passé une corde autour du cou et de la patte. Elle ne peut plus bouger. Il y en a un qui lui caresse l'encolure et l'autre qui lui enfonce le fer. Mais la patte est raide. Si raide qu'ils ne peuvent lui plier pour enfoncer les clous. Maman. Elle a encore une crise de paralysie. Ils ne peuvent plus la faire bouger. Ma petite fille. Voyons ma petite fille. Mais je veux courir dans les champs. Je ne veux pas brosser les parquets. Je ne veux pas cirer les meubles. Je ne veux pas repriser les chaussettes au coin du feu. Ils sont cinq autour d'elle. Les pronoms c'est l'essentiel. Comment parler aux autres sans parler comme eux? Si elle baisse le pied. Elle va s'étrangler. Mais non une telle force. Dans sa jambe. Elle tire si fort que la corde casse. Le fil des mots se distord. La syntaxe éclate. Les pronoms disparaissent. Sauf celui pour me dissoudre dans le monde. Sauf celui pour converser avec toi. Sauf celui qu'ils ont oublié. Ils veulent m'apprendre la grammaire, mais ils ne savent pas que je ne tutoie que mes amours.

Mère la mort, rapprends-moi la langue sans d'autres pronoms que mes bras enchevêtrés aux arbres. Rapprends-moi la langue pour te rejoindre. Un cri. Un hurlement. Un refus. Un cri d'amour, semble-t-il. Un hurlement. Il ressemble, ce difforme, à l'amour. Le sentier qui monte. Le sentier étroit entre nos ventres. Tu me donnes la main. J'essaie encore un peu. Pourquoi faire, je ne vivrai pas. Nous sommes presque en haut. La vallée tout en bas. Le niveau des eaux baisse en s'enfonçant dans l'été. Elle se resserre pour étouffer la rivière. Mais si elle survivra. Au fond du hurlement, un petit battement. Comme si toute cette course avait un sens.

Ils se plaignent de la chaleur. Mais je ne sens contre ma chair que le souffle du monde. La chaleur du désert. Elle n'écrase pas. Ne tue pas. N'assèche pas. Ils se plaignent tous de la chaleur. Mais je n'entends que la soif du désert. La séparance cesse. L'abandon. La maison renaissante. La pierre gémit. Le crépi craquèle. L'eau suinte dans les fondations. L'humide réapparaît. Mon amour. Elle vit. Elle lutte contre la folie. Depuis combien d'années déjà? Comme si cette course avait un sens.

Un hurlement. Un cri. Un refus. Dans le hurlement, un petit battement qui survit. Dans le crissement des aulnes, la plainte des femmes emmurées. Dans l'orage, la citerne qui s'emplit. Dans les pierres dressées, les âmes des défunts incarnées. Quel langage perdu depuis si longtemps? Dans tes bras, le monde se constitue. Le monde devient un. Le monde se ferme enfin. Tous ces corps de femmes qui m'abritent se rattachent au cœur d'un éventail tenu par quels doigts? Les morceaux de mon crâne éclaté se soudent dans tes mains ouvertes. Dans quelle langue oubliée les mots signifient-ils aussi leurs contraires? Le consentement. La consentation. La consenture. La consentance. La consentude. Quelle désinence perdue où tout redevient un. Les pareils et les contraires. Les verbes et les substantifs. Les pronoms et les articles. Tu m'ouvres tout grand les bras. Je cours dans les champs. Ma tête éclatée. Quand nous étions dans les torrents. Le monde redevient une. Le monde se referme. Je suis très petite. Dans les noisettes et les framboises. Quand je courais au bord de la rivière. Séquestration. Séquestrement. Séquestrée. Un participe. L'accord du participe. Mais d'où vient l'initiative? Je ne peux pas vivre. Le résultat est le même. Ils disent, c'est le résultat qui compte. Peut-être pas. Un lézard sur le balcon. Il attrape les insectes sur sa langue. L'ordre des choses. Les lézards sur la façade. Les corbeaux dans la falaise. Les barques sur la rivière. Elles s'arrêtent, la nuit, dans le méandre du village. Je n'avais pas remarqué. C'est un méandre. Les corbeaux viennent de la droite, je vivrai. Les corbeaux viennent de la gauche, je mourrai. Les méandres de la rivière. Non, les méandres de mon cerveau. Les acides venus de quelle source? Les acides rouges qu'elle distillait quand j'étais dans son ventre pour m'empêcher de vivre. Les acides rouges qu'elle sécrète dans mes méandres pour me paralyser. La mémoire d'une lutte à mort. La mémoire d'une horreur que rien ne peut calmer. La mémoire d'une souffrance qui ne peut plus cesser. Les acides rouges qui traversent le placenta pour me tuer. Ils sont restés. Ils déposent sur les galets de ma peine. Ils en font un fleuve de sang. Les acides rouges qu'elle sécrète dans les méandres de mon cerveau pour me paralyser. Elle y parvient. Elle me tue à moitié. Les corbeaux viennent de la gauche. Je ne peux plus vivre. Les acides rouges comme des algues enserrant mon corps. A des millénaires de là. Un homme qui crie dans le ventre d'un poisson. Un homme qui crie qu'il va mourir. Je ne peux plus bouger. Elle m'étouffe. Sa matrice se desserre. Il

dit qu'il va mourir. Les eaux l'environnent. Sa matrice
se resserre. Elle va m'étouffer. Mais non. Je survis. J'ai
quelque chose pour me défendre. Je ne sais quoi. Ne
plus bouger du tout. Ne pas sortir d'ici. Ne plus parler
du tout. Un cauchemar qui ne finit pas. Les corbeaux
viennent de la droite je vivrai. Un homme rejeté sur le
sable. Des millénaires de là. Il a un nom d'oiseau.

Les corbeaux viennent de la droite, je vis. Les corbeaux viennent de la gauche. Je ne vis pas. La mémoire
d'une horreur qui ne peut plus cesser. La vie elle-même
alternative. Peut-être les acides rouges, le mouvement
même de la vie. Peut-être la vie est-elle cette intermit-
tence. Mais ils veulent me guérir. Ils disent que je ne
peux pas rester comme cela. Ils disent que j'ai une
maladie. Ils lui ont donné un nom. Ils disent que je suis
instable, fragile, lunatique. Ils disent qu'ils veulent me
guérir. Ils rangent leur vie dans des coffres comme des
trésors inutiles. Ils ne savent pas qu'elles y tombent en
poussière. Ils veulent faire de moi une femme accomplie.
Ils ne savent pas que je vois leurs cottes de mailles sous
leurs dentelles. Ils veulent me guérir de quoi au juste?
De la création du monde et de son érosion? Des reptiles
et des oiseaux? De la mort et de la renaissance? Ils
disent qu'ils vont me guérir. De quoi. De la vie même?

Mes deux mains. Une dans chaque monde. Mes
deux mains. Vive et morte. N'aie pas peur, je te ramènerai jusqu'à la rive. N'aie pas peur, je te ramènerai au
ventre que nous avons quitté. Les balises de mes mains
à la sortie du port. La haute mer. Noire et mauve. La

haute mer dans l'eau noire des naufrages. Je te ramènerai vivant jusqu'à la rive. Je suis la sirène noire dans la
tempête. La mer est grosse. La mer enceinte des naufrages. Je me dissous dans le ciel mauve. Une main dans
chaque monde. Tout ensemble la lumière et la nuit.
Une main dans chaque monde. Elles se referment pour
te faire un berceau. En moi, tu redeviens tout petit. Tu
rentres dans le ventre bleu du navire. La falaise s'écrou-
lera sur la maison. N'aie pas peur. Tu cours vers mon
ventre. Je suis la mort.

Le niveau de la rivière baisse peu à peu. L'été s'enfonce dans les galets. Ils disent qu'ils me laisseront partir si je retrouve la langue qu'ils ont oubliée. Ils ont
obscurci la lucarne. Ils disent que la lumière me fait mal
à la tête. Ils disent que je dois me reposer et non courir
la campagne. Ils disent que je dois faire la vaisselle
pour payer ma pension. Ils disent que si cela continue
ils vont me renvoyer à l'hôpital. Je crois qu'ils disent
vrai.

La chevelure du pont me tend les bras. Le vertige du
balcon. Le chant des saules. Ils disent qu'ils ne pourront
pas me garder puisque je ne fais aucun effort pour être
comme eux. J'essaie pourtant de leur parler. Mais
chaque fois cela tourne mal. Les femmes me montrent
leurs visages. Je ne vois que leurs masques. Les hommes
me montrent leurs femmes. Je ne vois que les peupliers
au bord de la rivière. Ils disent que je ne sais pas faire
la conversation. Que je ne respecte pas les usages. Que
je n'aide pas les gens à sauver la face. Que je suis agres-

sive. Que je ne suis pas une vraie femme. Que je ne tire pas parti de ma beauté. Que je suis mal habillée. Que si je ne fais aucun effort je ne trouverai pas de mari. Mon corps m'encombre et ne m'appartient pas. Mon corps m'est étranger. Ils disent que je dois le soigner en attendant de le remettre à son propriétaire. Ils me donnent un nom provisoire. Une signature provisoire. Une identité provisoire. Mademoiselle. Si je continue je vais rester vieille fille. Mon corps comme un boulet qu'ils ont approprié. Ils en ont fait leur chose. Leur objet. Je dois chercher un acquéreur. Je le trouve. Seulement voilà. Rien ne va plus. La mariée est folle. Ils l'internent.

Ils l'emmènent au mouroir. Des années durant. Ils veulent absolument me guérir. Je les crois. Tu m'ouvres tout grand tes bras de vivant. Mais à l'abri de ma folie. Je ne sais comment. Je survis. L'essentiel ne cède pas. L'essentiel n'a pas encore de nom. L'essentiel survit par ma maladie. Quelque chose qui n'a pas de nom pendant des années. Ils me réveillent la nuit pour me conduire à l'interrogatoire. Ils se mettent à plusieurs pour m'expliquer. Ils se relaient quand ils faiblissent. Ils disent tous la même chose. Comment ne pas les croire. La réalité. La seule réalité. La réalité seulement. Ils sont assis dans leurs fauteuils. Ils sont tout à fait sûrs de ce qu'ils affirment. Pas le moindre frémissement dans leurs lèvres. La réalité objective. Point.

Pourtant quelque chose au fond de ma folie ne capitule pas. J'essaie d'expliquer. Les arbres mauves. Les cheveux du pont. Le gémissement des pierres. Mais ils ne m'ont pas appris les mots. Comment le pourrais-je? Leur pouvoir est bien assis. Ils n'ont rien à craindre. Ils règnent sur mon corps. Ils règnent sur mon esprit. Je me cogne la tête contre les murs. Les acides rouges se diluent goutte à goutte dans mon cerveau trop fragile. J'aboie le jour. Je hurle la nuit. Je deviens la muraille. Aveugle. Sourde. Muette. Ils m'assoient dans un grand fauteuil. Ils m'attachent une couverture sur les genoux. Ils me regardent avec mépris. Le déchet. La folle. Le tube digestif monté sur pattes. La sans-importance de toute façon elle est malade. La mal fagotée. La ne trouvera jamais de mari. La qui hurle dans les théâtres couvrant la voix des acteurs. La qui tombe dans les rues les jours d'errance. La qui saute des trains où ils l'ont fait monter. Des années. Le mouroir. L'emmurement. La grande dérive. Les acides rouges. La tête contre les murs. Les aboiements. Les bras tordus. La bave aux lèvres. Les jambes paralysées. Les yeux clos. La mutité. Les cris. Les hurlements. Le refus.

Je ne sais quoi qui refuse de céder et qui survit dans le désastre. Pas de pensée. Ils me l'ont volée. Pas de corps. Ils l'ont approprié. Pas de vie. Ils l'ont enfollée. La mort. Des années durant. Pas la non-vie. Quelque chose survit à l'abri des crises. A l'abri du corps brisé. A l'abri de ma chair jetée sur leur grabat. A l'abri des mots que je ne connais pas encore. La mort. Pas la non-vie. Je ne sais dire ni non ni autre. Alors je colle à eux. Si fort que j'en survis. La mort. Pas la non-vie.

Ils ne savent pas la différence. Ils disent simplement, la folle est au mouroir. Je colle à eux. J'en disparais. Ils sont les plus forts. Je ne peux leur résister. Ils ont le langage. Ils ont les mots. Je n'ai qu'un cri. Je colle à leur volonté. Je me perds dans le monde pour survivre. La mort.

La mort traversée des années durant à l'abri des hurlements et du silence. La mort. Pas la non-vie. Mais ils confondent le contraire et la négation. Le vol des étourneaux dans les méandres de mon cerveau. Les corbeaux dans mon crâne. L'épervier très loin là-haut. Pas de volonté différente de la leur. Un abandon. Un consentement complet à être leur chose. La clandestinité dans un combat inégal. Je deviens deux. Puis trois. Puis douze. Je deviens tout ce qu'ils veulent que je sois. Ils m'approprient. Je disparais. Je n'ai pas de mots pour parler. Je ne suis plus personne. Leur pouvoir est total. Mais ils ne possèdent que ma mort dans laquelle ils se perdent.

Mère la mort. Contre toute attente dans ton ventre je survis. Mon corps difforme. Mon corps un boulet. Mon corps étranger. Elle est sur le balcon, dévidant l'écheveau dans son panier d'osier. Écru, bisé, grisé, burel. Les couleurs de ma peine. Je lui ressemble. De plus en plus en vieillissant. Je n'ai d'autre vie que sa volonté. D'autre corps que le sien. D'autres habits que ceux qu'elle décide. Ils m'enlaidissent. Je choisis les robes qui ne me vont pas. Je mange. Je bois pour la détruire en moi. Mais je n'y parviens pas. Elle revient me tourmenter dès que tu cesses de veiller. Ils disent qu'ils ne vont pas pouvoir me garder. Ils disent qu'ils vont me renvoyer à l'hôpital. Pourtant, je me soumets entièrement. Je disparais. Ils prennent possession de mon corps détruit et de mon cerveau vide. Je fais tout ce qu'ils veulent. Je me marie. Je suis heureuse. J'enfante.

Contre toute attente, je survis. Ils mettent des enfants dans mon corps. Je les étouffe et les dévore. Je garde un air placide. Ils font des recherches. Des analyses. Des opérations. Ils donnent des noms. Mais ils n'expliquent pas. Je les laisse dire. Je sais. Je les étouffe et les dévore. Les uns après les autres. De l'intérieur. Les ogresses. Les cavernes. Les dragons. Les pieuvres. Les crabes. Les vampires.

Contre toute attente, je survis. Le niveau de la rivière baisse en s'enfonçant dans l'été. Une accalmie. Une amnistie. Un reposoir. Combien d'années dans ton ventre ? Dans la folie je réchappe à la non-vie. Le crépi offre le visage tranquille des femmes emmurées. Le crépi uniforme recouvre les familles. Le crépi protège les pierres. Mais je ne peux plus faire semblant. Je désapprends tout ce qu'ils m'ont appris. Je ne sais plus cuire la nourriture sans la faire brûler. Je ne sais plus trier le linge pour le laver. Je ne sais plus dans quel sens balayer la poussière de leurs pas. Dans mon crâne, un arbre grossit. La mort. Pas la non-vie. Le crépi tombe dans le vent chaud. Je survis. Les hirondelles sur le rebord du balcon. Le murmure de la rivière. L'odeur du causse sur mes mains. Le crépi tombe par plaques.

MÈRE LA MORT

Tu viens recimenter les pierres rouges enfin apparentes.
La mort traversée à l'ombre du crépi. La maison
inhabitée des années durant. La maison morte pourtant membre du village. La maison, les volets clos, les
pièces désertées. La maison vide pourtant survivante. La
maison morte dans la respiration de la falaise.

   Alors petit à petit. De ce réel boursouflé. De ce corps
difforme, contordu, désastral. De cet amour que je ne
peux oublier. Du coin du ciel au-delà de la montagne.
Des barques sur la rivière. Du train à heures régulières.
Du ronronnement des tracteurs. De la pompe arrosant
les jardins. D'un réel qui n'est plus menaçant surgit
un mot. Un mot que je ne connais pas, mais que je
reconnais. Quelqu'un le dit par hasard. Ou toi peut-être
entre mes bras. Un mot qui donne aux arbres le droit
d'être mauves. Un mot qui permet de conjuguer au présent les courses au bord de la rivière. Un mot qui nie
enfin tous leurs abandons. Elle me dit qu'elle ne m'aime
pas. Mais je ne meurs plus. Je deviens seulement un
torrent de peinture sur les murs de la maison. Le toit de
ma chevelure libère les corbeaux qui s'envolent vers la
langue oubliée. Dans mes mains ouvertes, les colombes
volent à ras du plateau. Le manteau bleu des songes sur
le corps doré des avoines. Elle dit qu'elle ne m'aime pas.
Mais je ne meurs plus. Je suis sur le balcon dévidant
mes écheveaux de laine. Je tends mes bras ouverts vers
sa robe de dentelle. Elle me repousse à chaque détour
de phrase. Mais je ne meurs plus. Un mot entendu par
hasard. Un mot entendu depuis si longtemps que je

35

m'enfuyais à sa rencontre. Un mot dans le maquis. Un mot dans la mangrove. Un mot du marécage. Un mot quand l'eau devient la terre. Un mot où commence la vie. Un mot entre les reptiles et les oiseaux. La fin de la folie. L'imaginaire, violant le réel et me sauvant la vie.

Ils martèlent les fers qu'ils essaient de me clouer. Objectivement. Positivement. Le déterminisme. Le rôle social. L'éducation. L'art bourgeois. Je ne comprends pas ce qu'ils disent. Mais je les vois faire. Ils cherchent à m'approprier. Ils n'admettent pas la différence. Ils affirment doctement. Un seul problème. Le même pour tous. Le pouvoir.

Tout à l'heure, tu vas me ramasser paralysée, les yeux clos, tombée encore une fois dans le couloir de l'hôpital. Ils diront, vous voyez, les visites ne lui font pas de bien. Ils auront raison. Ils ont toujours raison. Jusqu'au jour où. Statues de plâtre. Un bruit de non-vivants. Tout à l'heure. Ils vont m'emmener dans leur cave. Réadaptation à la vie, disent-ils. Cellule de réadaptation à la vie. Il faut qu'elle devienne raisonnable. Ils m'emmèneront entre deux infirmiers. Tu resteras là, les mains vides. Les visites ne lui font pas de bien. Ils m'arrachent à toi pour me jeter nue sur le carrelage. Mon amour, mon amour, tes bras de vivant.

Ils m'emmènent dans la cellule des condamnés à mort. Ils répètent. Le même pour tous. Le problème du pouvoir. Mais, tout à coup, un jour. Le bout de la folie. Pas la guérison. La non-folie. Mais ils confondent le contraire et la négation. Quelle fragile position arrête l'ennemi? Quel feuillage me rassure me faisant croire invisible? Quelle boisson me donne le courage d'affronter les tout-puissants? Quel doigt me retient au bord du précipice? Quel fétu de paille barre le détroit à la flotte des envahisseurs?

Mais tout à coup. Du fond des temps. Du fond des âges. Tout à coup. Une résurgence qui cherchait la falaise depuis longtemps. Un affluent qui trouvent le fleuve. Une pierre qui trouve sa place dans le mur. Une position fragile arrête enfin les envahisseurs. Un mot timide prononcé. Un mot balbutié. Un mot risqué en avant pour se protéger des coups. Pas le pouvoir. L'identité. Ils ne savent plus quoi dire. Leurs leçons apprises ne leur servent plus. Le bout de la folie. Pas la guérison. La non-folie. J'entrevois la vraie nature de leurs soins. Les vraies raisons de ma souffrance. Je ne guéris pas. Je ne suis pas malade. Malgré les hurlements, les acides rouges, la dérive le long des rues. Ce sont eux qui essaient de m'y enfermer.

Je ne suis pas malade. Mais ils me jettent nue sur le carrelage. Je ne suis pas malade. Mais ils me font des piqûres de coma. Je ne suis pas malade. Mais ils envoient dans mon crâne les lumières nucléaires. Je ne suis pas malade. Mais ils m'endorment de force. Ils m'attachent les mains derrière le dos de peur que je leur saute au cou. Ils disent qu'ils vont me guérir. Mais c'est pour me normaliser. Ils disent que je suis folle. Mais c'est pour ne pas entendre ma voix.

Le bout de la folie. Pas la guérison. La non-folie. La

tête éclatée. Le corps sanglant. La mémoire du monde.
Au bout de cette souffrance. Une grimace. Un bras
tordu. Un œil révulsé. Une bouche bavante. La possédée. Ils ont fait de nous les possédées. De quoi veulent-
ils donc nous exorciser avec leurs clystères, leurs encéphalogrammes, leurs chaises électriques. De quoi
veulent-ils nous guérir avec les mots qu'ils ajoutent
pour que nous ne puissions plus rien dire. De quoi
veulent-ils donc nous délivrer ceux-là qui sont si bien
assis sur nous qu'ils nous empêchent de bouger?

Quelquefois, un brouillard à enfanter les enfers. Je ne
vois plus la vallée. Ni la rivière. Est-elle à sec? Ni les
oiseaux dans la falaise. Ni même la fenêtre. Rien que le
brouillard de la maladie. Pourtant, le temps est clair. Il
fait soleil. C'est seulement mon désespoir dans l'œil
mort de la femme mauve au fond du miroir. Elle est
encore venue me tourmenter. Je comprends ce qu'elle
me dit. Je ne peux même pas faire semblant. Elle se fait
insistante. Mais tu veilles. Elle a peur de toi. Elle attend
au croisement d'un champ de blé. Je me souviens de
l'ordre monocorde des violons de l'été. Un jour
d'amour dans les trèfles incarnats. Tu ne sais pas ce que
c'est. Je t'en montre. Mais je ne suis plus très sûre que
ce soit cela. Elle attend au carrefour d'un champ de
seigle. Elle est la paralytique sans béquille et l'horloge
sans aiguille. Elle a une robe en dentelle au bout du
champ. Elle ne veut pas aller à pied. Elle dit qu'elle va
abîmer ses chaussures. C'est elle. Je sais que c'est elle.
Mais je ne la reconnais pas.

Quand elle était dans mes bras. Quand nos jambes s'enlaçaient. Quand je lui disais, je t'aimerai toujours. La marelle dans la cour. Les tracés de craie blanche entre le ciel et la terre. Les manèges. Les chevaux de bois. Les lances de ferraille. Les anneaux de quelle impossible quête. Les cerceaux. L'immobile mouvement de l'univers. Une dévotion pareille. Un amour fou. Pourquoi? Elle ne veut pas marcher dans le chemin de terre. Elle dit qu'elle va abîmer ses chaussures. Les chevaux noirs valsent sur le causse. La terre rouge sanglote dans le soir. Tu me prends dans tes bras. Tu m'emportes. Cavalier de quelle apocalypse? Entre le seigle et le blé. Un champ d'amour. Un chant d'amour. Elle ne peut rien contre moi. Tu me tiens par la main. Mais elle creuse des fondrières sous les remparts de mon corps pour naufrager mes pauvres vaisseaux. Tu m'emmènes. Un soir d'amour dans la lavande, le buis, les épineux. Nous marchons. Elle ne veut pas venir. Elle ne sait pas venir. Elle craint d'abîmer ses chaussures. Pourtant, la pantoufle perdue retrouvée dans un conte. Pourtant, dans une chanson la belle épouse le cordonnier. Pour quel chemin boueux? Terre et eau? Pour quelles noces où elle lui retira ses souliers? Pour les mettre près de quel feu puisque nous n'avons plus de cheminées?

Tu m'emmènes. Un cimetière abandonné. Il n'y a plus de porte pour entrer. Il faut sauter le mur. Les herbes hautes. Les herbes ingouvernables. Les herbes folles. Le haut d'une dalle a roulé dans les coquelicots.

Tu essaies de la remettre. Elle ne tient pas. Tu restes avec ton morceau de tombe entre les mains. Je suis sur le mur du cimetière. Elle est là-bas, au bout du champ de seigle. Qui donc a gravé l'inscription? Quelle main en mal d'amour? Quelle main en mal d'attente? Quelle main folle a écrit, ayez pitié de nous, vous au moins qui êtes nos amis. Ayez pitié de nous car la main est lourde qui nous a frappés. Quelle angoisse des morts inscrite sur le bois? Les vivants l'ont effacée. Les vivants les ont fait taire. Les vivants les ont rejetés. Les doigts aveugles ne peuvent lire qu'en touchant le bois. L'encre noire. La peinture noire. L'inscription camouflée. Par quel inquisiteur, par quel curé zélé, par quel sourd? Un cri d'amour. Un cri d'amour sous la peinture qu'ils ont mise. Les chevaux noirs valsent dans la plaine. Tu essaies de remettre le morceau de dalle sur la tombe. Mais elle ne tient pas. Ils ont fait taire la voix des morts. Les coquelicots dans les herbes folles. Un cimetière abandonné. Ils ont inscrit à l'entrée. Des profondeurs. Mais ils en ont perdu la clameur, et ils s'étonnent du silence. Ils ont inscrit des profondeurs, mais alors qui criera vers toi.

Elle est au bout du champ de seigle. Elle tient une fleur. Elle attend tout doucement pour me dévorer. La rivière est presque à sec. Je n'ai plus d'eau. Elle va m'étouffer. Sa matrice se resserre. Elle est au bout du champ de seigle. Les corbeaux volent autour d'elle. Elle me digère dans son ventre.

La dalle pour quel festin? La dalle pour quelles liba-

40

tions? Le pain et le vin sur les tombeaux. Les messes célébrées sur les autels. Dans une île, un python gardant ta caverne. Un dragon dévorant une princesse. Un fruit mangé dans un jardin, un fruit qui rend mortel. Un homme dans le ventre d'un poisson. Un homme rejeté sur le sable. Pour quelle sortie? Pour quelle renaissance? Le pain partagé. Les crabes mangés dans les cimentières. Les œufs peints posés sur les tombes. Dans quelle langue le même mot pour dire être mangé et mourir. Dans quelle langue le même mot pour dire banquet et funérailles?

Mère la mort. Je crie vers toi. Des inscriptions noircies. Des portes effondrées. Des tombeaux chavirés. Je crie vers toi de toutes ces tombes dressées. De tous ces ventres abritant les cercueils. De tous ces bois protégeant nos chairs pourrissantes. De toutes ces pierres accueillant les âmes des défunts. Ils ont écrit des profondeurs. Mais ils ont perdu la clameur.

Mère la mort. Dans quel jeu es-tu la seule carte à n'avoir pas de nom.

Elle tient une fleur au bord du champ de seigle. Elle attend que tu aies le dos tourné pour me dévorer. La rivière est presque à sec. Elle attend pour m'étouffer. Tu me tiens la main. Elle respire les fleurs qu'elle a apportées. Elle range une boîte de bonbons dans la table de nuit. Les visites sont terminées. L'infirmière repasse dans le couloir. Tu me tiens la main. Ils vont me rattacher quand tu seras parti. Ils disent que je ne suis pas raisonnable. Ils ne veulent pas me donner à boire. J'étouffe dans son ventre. Elle retient l'eau pour que je meure. Ils disent que les visites sont terminées. Ils disent que je n'aurai pas à boire tant que je ne ferai pas la vaisselle et les carreaux et les parquets. La rivière est presque à sec. Elle m'étouffe. Tu me tiens la main. Les chevaux noirs valsent dans la plaine. Les chevaux noirs m'emportent de l'autre côté du miroir.

N'aie pas peur. C'est seulement le cœur de l'été. Les hirondelles tournoient dans les méandres de mon cerveau. Pour quelle aurore au bout de la nuit? Pour quel éclatement du soleil au-dessus de la montagne? Mais non. Ils vont venir me reprendre pour me conduire à l'hôpital pour que rien ne cesse de mon désespoir. Les raisins encore verts. Les marrons à peine. Les mûres qui noircissent. L'été immobile. Un mouvement suspendu. Un moment dans son point d'équilibre. Ils vont venir me reprendre. Juste une permission. Un petit moment. Juste une visite dans une maison de repos. Je n'y ai rien trouvé. Seulement les carreaux rouges de la première chute. Le moulin à café fixé le long de quel mur? La lampe à pétrole pour faire reculer quel cauchemar? Le tambour bleu de quel garde-champêtre? Il n'y a plus personne dans ce village. C'est seulement la cuisine d'une maison de repos. Ils vont venir me prendre pour me conduire à l'interrogatoire. Ils disent que je suis folle et qu'ils vont me guérir. Ils disent que je suis possédée et qu'ils vont m'exorciser. Ils disent que je suis une sorcière et qu'ils vont me brûler.

Mais si je trouve, ils me laisseront partir. Les folles.

Les possédées. Les sorcières. Le réel et l'imaginaire. Le pouvoir et l'identité. La fascination du bourreau sur sa victime. La pièce qui manque. Si je trouve, ils me laisseront partir. Avoir et être. Les auxiliaires. De quel verbe? Dans quelle langue oubliée? D'avant les envahisseurs? Dans une île une statue aux seins nus. Une robe à volants. Des serpents dans les mains. Un oiseau sur la tête. Dans une île avant les envahisseurs. Une statue retrouvée. Une femme. En faïence. En terre cuite. Des millénaires de là. Une femme. La poitrine ouverte. Sur la tête. Une colombe. Féminin singulier. Dans les mains. Des serpents. Masculin pluriel.

Mère la mort, tes oiseaux et tes reptiles. Je cours vers toi cherchant ton nom. Je le savais avant d'aller à l'école des français. Mais ils ont dit que ce n'était pas vrai. Ils ont dit que j'étais folle. Ils ont dit qu'il fallait m'enfermer.

Tu colmates les brèches. Tu consolides la voûte. Tu cimentes la pierraille. Mais les gravats commencent à tomber sur ma tête. Pourtant, si je retrouve la langue oubliée, les portes des asiles s'ouvriront et les fous sortiront. Mais non, la corde pend déjà à la poutre maîtresse. Les oiseaux-pieuvres échappés de ma tête volent sur les murs de la chambre. Ils attendent le grand retour. La mer qui sédimente, les enfermant. Tu feuillettes les livres cherchant dans les pages de poussière ce qui me sauvera la vie. Peut-être ont-ils vraiment existé. La moraine accumulée au bout du glacier. Le sable enserrant la lagune. Les éboulis obstruant la

43

grotte. Terre et eau. La ville croupissant dans ses canaux. Pour quelles noces? Le ciel de plus en plus noir, au ras du plateau. Ils vont venir me reprendre pour me ramener à l'hôpital. Tu ne pourras plus me défendre. Le consentement. Les chevaux noirs valsent dans la plaine. La fatigue. Dans le chavirement cesse enfin la souffrance.

Ils sont les plus forts. Je ne retrouve pas la langue oubliée. La langue d'avant les envahisseurs. La langue sans pronom. La langue où les mots signifient aussi leurs contraires. La langue où les substantifs se conjuguent. La langue qui libère. La langue qui, au-delà du miroir, me ramène aux vivants. La langue plus vieille encore que la statue aux seins nus. La langue des âmes des défunts dans les pierres. La langue des emmurées dans les aulnes de la rivière. La langue des peintures de tes cavernes, des poteries de tes sols, des silex de tes cendres. La langue de la femme nue, les cuisses comme des montagnes. Elle a le ventre dilaté et les cheveux bouclés. Ils l'ont arraché à toi pour la mettre derrière une vitre. Ils ont pillé tes tombeaux et s'étonnent de ne rien connaître. Ils font un tel bruit qu'ils n'entendent plus rien. Ni ton corps qui saigne dans les géodes qu'ils pillent. Ni la plainte de la forêt qu'ils pourfendent. Ni le reproche de la rivière qu'ils salissent. Ni les oiseaux marins réfugiés dans les terres. Ni les poissons le ventre en l'air. Ni les tortues de mer se perdant dans les sables. Ils parlent si fort, les jactants, qu'ils ne s'en étonnent même pas. Si je trouve la pièce qui manque, ils me laisseront partir et les fous sortiront. Pouvoir. Identité. Deux aspects d'une même chose. Avoir et être. Deux auxiliaires d'un même verbe. Le réel. L'imaginaire. Deux façons de poser la même pièce. Si je la trouve, ils me laisseront partir.

Mais non. Ils ont fait de nous, les yeux révulsés, les corps tordus, les bouches bavantes. Ils nous obligent à parler une langue qui n'est pas la nôtre. A nourrir un corps qui n'est pas le nôtre. A vivre une vie qui n'est pas la nôtre. Je ne trouverai rien. Que sa matrice qui se resserre et m'étouffe. Que l'eau de la rivière qui s'assèche. Que les acides rouges qu'elle distille dans mon cerveau. La formation de la conscience. Je suis elle et moi. Elle m'étouffe. J'étouffe. Je résiste. Elle résiste. Une lutte à mort. Dans le fond de la caverne de son corps. Dans quelle langue les mots signifient-ils aussi leur contraire? Je suis ensemble moi et elle. Dans quelle langue n'y a-t-il pas encore de pronom? Le pouvoir. L'identité. Deux aspects d'une même chose. D'une même erreur. Nous ne sommes pas deux. Nous sommes une, au féminin singulier. Avoir et être, deux auxiliaires d'une gestation cosmique. Nous sommes une. Elle ne m'étouffe que si je suis quelqu'un d'autre qu'elle. Si je colle à elle, je survis. La pièce qui manque. La formation de la conscience. Si je résiste, elle me tue. Si je disparais en elle, je survis.

Je n'entends que le discours monocorde de la rivière. Elle est presque à sec. Elle va m'étouffer. Tu me tiens la main. Les chevaux noirs valsent dans la plaine. Les chevaux noirs m'emportent où je ne veux plus aller. Les jactants. Les laisser s'avancer dans les sables. Ne pas répondre. Je lui échappe. Sa matrice se resserre. L'eau revient. J'ai moins soif. J'ai moins chaud. L'insecte sur la table. Il se frotte les antennes. Ne pas répondre. Une mouche sur une miette de pain. Le tiroir de la table. Ne pas répondre surtout. Ils y rangeaient le pain. Ils y asseyaient leurs enfants. Elle y range ses écheveaux de laine. Une fourmi sur le carrelage. Le grelot du chien sur le chemin. Je cherche la pièce qui manque. Pourquoi ont-ils besoin de nous approprier? Pourquoi veulent-ils tellement nous nommer, nous les sans-nom? La pièce qui manque. Pourquoi nous empêchent-ils de fuir, nous qui les fuyons pour survivre?

Ils disent qu'ils n'y a que des relations de pouvoir. Dans tous les groupes. Dans tous les couples. Ils disent que ce n'est pas péjoratif. Pourtant la rivière est presque à sec. Elle va m'étouffer. Elle est sur le balcon dévidant les écheveaux de ma peine. Écru, bisé, grisé, burel. Ils confondent pouvoir et conversation. Ils ne confondent pas. Ils savent bien que ce n'est pas la même chose. Ils font semblant. Ils confondent pouvoir et amour. Ils jettent leurs mots pour me prendre dans leurs filets. Ils utilisent le langage pour brouiller les cartes. Ils se servent du verbe pour approprier. Ils se servent de la parole pour nommer. L'insecte se frotte les antennes sur la table. La mouche sur la miette de pain. La fourmi sur le carrelage. Je cherche la pièce qui manque. Si je la trouve, ils me laisseront partir. Si je la trouve, je leur échappe pour toujours. Si je la trouve, les fous sortiront.

Ma tête éclatée dans le soleil. La séparance. La souffrance. La rivière presque à sec. Le discours monocorde des violons de l'été. La pièce qui manque. Reliant les deux aspects d'une même chose. D'une même erreur. Ils disent que je guérirai si je trouve mon identité. Mais je ne sais plus. Je ne sais plus ce que cela veut dire. Le même ou la différence? Je ne comprends pas. J'ai mal à la tête. Tu glisses ton épaule entre le mur et mon front. Je tente de leur échapper. Ils disent que si je trouve ils me laisseront partir. Ils disent que pour guérir je dois trouver mon identité. Mais je suis plusieurs. Ils disent que c'est une maladie. Alors, pourquoi dire tout ensemble le même et la différence. Je ne comprends plus rien de ce qu'ils m'expliquent.

Ils vont me renfermer à l'hôpital. Ils disent que je ne peux pas guérir. Ils agitent leurs marionnettes, mais ce sont des poupées de son. Ils écrasent ma tête sous la grammaire mais il en jaillit les serpents et les oiseaux. Ils assèchent la rivière, mais j'entends les plaintes des arbres qu'ils ont desséchés. Ils ne peuvent plus m'atteindre. Ils savent que je ne peux pas conjuguer l'imaginaire et ils croient leur pouvoir invincible. Mais ils ne savent pas que je peux me taire. Ils croient leur pouvoir invincible à cause de pronoms. Ils continuent à parler comme des moulins. Mais si je trouve la pièce qui manque, je leur échappe. Ils disent le principe d'identité. Parfaitement réversible et cela ne les trouble pas.

Ils disent qu'ils peuvent retourner les phrases autour du verbe être et ils acceptent cela. Ils disent qu'ils peuvent remplacer être par devenir. Et ils introduisent l'oubli. Ils disent. Ils disent quoi donc au juste?

Ils disent que je dois guérir. Ils m'ont enfermée au mouroir. Ils m'écrivent quelquefois. Les lettres s'accumulent au bas de l'escalier de pierre. Le chien demeure couché dans l'ombre. Le discours monocorde de la rivière. La ligne du plateau. Je ne suis plus que le rebord de la montagne qui me protège de l'angoisse. C'est l'été immobile qui m'ouvre tout grand les bras. Je ne parviendrai pas à casser la langue pour dire enfin l'osmose dans le monde. Je ne réussirai pas. Ils ne me laisseront pas partir. Ils vont me renvoyer à l'hôpital. La maison de repos rouvre sur l'asile. Le lit de fer. Les sangles de chanvre. Les piqûres de coma. Les soleils qu'ils m'envoient dans la tête. Cherchant la maladie qu'ils n'ont pas sur leurs fiches. La mémoire. La révolte. Le refus. Mille soleils dans mon crâne pour localiser la tumeur de l'amour. Tant de piqûres pour me faire oublier les jours où je courais sur les galets. Tant de drogues pour forcer mon consentement. Tant d'interrogatoires pour brouiller les pistes.

Rien n'y fait. Je ne parviens pas à oublier. Mon bras matriculé. Mes cheveux tondus. Mes chevilles enchaînées. Ils cherchent sur leurs fiches le nom de ma maladie. Elle s'appelle la mémoire. Ils pansent mes blessures dans des couvertures de cartons. Mais le sang coule toujours du ventre de la montagne. Ils rangent mes membres paralysés sur leurs rayons de bibliothèque. Mais elle m'étouffe toujours dans son ventre. Ils dissèquent mes phrases pour établir un diagnostic. Mais la fleur vénéneuse ronge mes chairs. Ils cherchent dans leurs fiches le nom de ma maladie. Elle s'appelle la mémoire. Ma perdition. Elle s'appelle ton corps. Ma rassurance. Ton corps me nourrissant et m'abritant. Ma sauvegarde. Ton corps me paralysant et me dévorant.

Mère la mort, ils cherchent le nom de ma maladie. La gestation. La gestance. Le gestement. La gestude. La mémoire des eaux bleues de son ventre quand elle les assèche pour me perdre. La formation des acides rouges. Dans le four de quel alchimiste, la liqueur d'immortalité? Si je trouve, ils me laisseront partir. Je suis ensemble elle et moi. C'est moi qui me dévore et me détruis. Les acides rouges. Si je consens à être elle. Je survis. La formation de la conscience. L'apprentissage d'un comportement. Si je suis elle, je survis. Le début de l'osmose. Le consentement de la victime au bourreau. Je vais mourir. Si je consens à être elle. Je ne meurs pas. La symbiose. La perte de l'identité. L'apprentissage d'un comportement. La nuit. La maladie. La déportation. Je m'identifie à eux. Ils ne peuvent plus me faire de mal. Ils me possèdent mais je survis en eux. Les pas tournants. Les aboiements. La mutité. La survie. Je leur donne ce qu'ils demandent. Mais ils n'ont plus dans les bras qu'un bois mort. La maladie me sauve. Ils croient m'avoir nommée. Je n'ai plus de nom. Ils m'identifient. Je deviens autre. Ils veulent me faire marcher. Je paralyse mes jambes. Ils veulent me faire parler. Je deviens muette. Ils veulent me faire enfanter. J'étouffe à mon tour mes propres enfants. Les hirondelles sur le rebord du balcon. La citerne qui se vide peu à peu. L'orage entre les chênes et les buis. Le causse rouge. A cause du sang. A cause du sang coulant du ventre de la terre. A cause du sang qu'ils ont sur les mains. Ils parlent de nécessité historique, de raison. d'état, d'accords diplomatiques. Le causse rouge. A cause des acides qui paralysent ma tête et mes membres. Il n'y a personne. Des heures de marche durant. Mais les racines, le thym, les immortelles. Ils disent que ce sont les fleurs dans la cour du mouroir. La fin du repos. Je n'ai pas trouvé la pièce qui manque. Tu demandes à me reprendre avec toi, mais ils disent que ce n'est pas possible. Que je suis dangereuse. Que je suis folle. Qu'il faut me ramener à l'hôpital.

Nous marchons sous l'orage. Les éclairs et la foudre. Les pierres rouges sanglotent de plus en plus fort, tout autour de nous. Elle tricote une couverture pour abriter mon corps paralysé. Écru, bisé, grisé, burel. Les couleurs de ma peine. Cela ne sert à rien puisque je vais mourir. Je n'ai rien trouvé. Les éclairs tout autour de nous. La borie au milieu des champs. Au bout des pierres rouges, la borie dans les avoines coupées. Ma chemise est trempée. Elle va appeler la garde. Elle avait pourtant bien dit de ne pas m'agiter. Ils disent qu'il est temps que je retourne à l'hôpital. Ils disent qu'ils vont de nouveau m'attacher, puisque je ne suis pas raisonnable. Mais la pièce qui manque. La pièce qui reconstruirait tout le jeu. La pièce qui me délivrerait enfin. Tu me tiens par le bras. Tu me tires en avant. Les éclairs autour de nous. La foudre. La garde et son aiguille de coma. Tu ne veux pas la laisser faire. Mais les oiseaux-pieuvres voltigent autour de moi. Mes enfants morts sanglotent dans l'écorce des arbres. Tu veux me reprendre à la maison. Mais l'aigle noir dans mon crâne. Il ne faut pas rester sous les arbres mais ils me tendent leurs mains ouvertes. La garde appelle les infirmiers pour qu'ils m'attachent. Tu me prends dans tes bras. Tu me tires vers la borie. La terre rouge et les avoines coupées. Sang et or le désastre. Quelle liqueur dans le creuset de l'alchimiste? Revoilà entre les arbres tordus la femme en mauve qui parade. Revoilà qu'elle me prend dans ses filets de mots que je ne connais pas. Revoilà qu'elle tricote des pièges au coin de la syntaxe. Revoilà qu'elle exige une orthographe impossible à mettre. Elle est là sur la chaise près de mon lit. Elle me tient le front. Tu me tiens le bras. Nous avançons sous l'orage. La borie dans les avoines coupées. Les éclairs et la foudre. Tu me serres contre toi. Le vent pousse l'orage. Je suis trempée. Le lit est trempé. Tu m'essuies avec ton mouchoir. Ils m'ont attachée. Ils disent qu'il n'y a que des relations de pouvoir. Mais l'orage sur le causse. Le consentement. L'abandon au monde. Les forces cosmiques. Le vent et les étoiles. Le consentement à la mort. Les mains tendues des arbres. Les sanglots des pierres mouillées. La plainte du chemin raviné. Le causse rouge. A cause de mon sang. Ou à cause de ta peine. Ils ne veulent pas me laisser partir. Ils disent qu'ils vont me ramener à l'hôpital. Je n'ai pas trouvé la pièce qui manque. Ils continuent à dire. Le pouvoir. Le pouvoir. Trouver son identité. Mais la borie dans les avoines coupées. Ils vont me ramener à l'hôpital. Mais nos corps l'un à l'autre, dans l'abri du berger.

Elle est assise au bord du lit. Elle exige que j'accorde les participes. Les oiseaux dans la falaise. La rivière qui baisse. Elle va m'étouffer. La règle des participes. Ils s'accordent dans un cas et pas dans l'autre. Qu'en savent-ils? Que savent-ils de mon corps abandonné dans la lumière? L'accord du participe. S'il est placé avant ou après. Avant ou après quoi, au juste? Elle crie dans mes oreilles. Le complément. Le sujet. Je ne vois pas la différence. Le complément et le sujet participent ensemble à l'invariable. Que veulent-ils que j'accorde? Pourquoi ne me tend-elle pas les bras? Si les participes s'accordent, pourquoi pas les mères et les filles? Mais oui, je la connais la règle des participes. Les marécages de mon crâne. Les oiseaux et les serpents quand ils gestent dans mon ventre. Mais les jactants séparent les personnes et les genres. Mais les envahisseurs nous courbent le front. Mais les mères attachent les carcans de leurs filles. Ils veulent que je corrige mes fautes. Mais je ne les connais pas.

Je ne parviens pas à embrasser leur langue qui me demeure étrangère. Elle dit que je n'arriverai jamais à rien. Ils disent que j'invente des mots. Pourtant, je ne fais qu'appliquer leurs règles. Ils disent que j'invente des mots. Pourtant, il me semble qu'ils y étaient déjà. Ils les avaient seulement oubliés. Ils dissèquent la chair de mes suffixes. Ils y voient le signe certain de ma maladie. Ils prennent mes conjugaisons. Ils y voient des symptômes. Ils prennent une phrase et ils la nomment. Ils prennent une autre phrase et ils la nomment encore. Ils croient que je n'entends pas qu'ils disent que je suis folle. Ils sont sûrs que je ne peux pas guérir. Et ils croient refermer ma tombe ouverte. Mais je parle la même langue qu'eux. Ils ne savent pas que c'est à son corps mutilé que je fais l'amour. Ils ne savent pas qu'elle a mille bras et qu'ils les ont coupés. Ils ne savent pas qu'elle est notre langue commune mais qu'elle est mon amour. Ils découpent mes phrases comme ils découpent mon corps. Ils fondent leurs diagnostics sur des lambeaux de chair. Ils donnent un nom aux soleils immobiles. Ils disent, elle invente des mots. Ils les citent comme des symptômes. Ils croient que je n'entends pas qu'ils disent que je suis folle. Mais je parle la même langue qu'eux.

Ils prétendent que je fais des fautes et qu'il faut distinguer le futur du conditionnel. Ils mettent du sang plein mes copies. Ils éructent que je ne laisse pas de marge. Ils me mettent des zéros tous les jours de grammaire. Dictée. Dictée. Dictée. Rédaction. Dissertation. Composition. Analyse logique. Dans quelle langue le même temps pour dire le futur et le passé ? Dans quelle langue un temps sacré, un temps profane? Dans quelle langue une forme qui dure et une qui ne dure pas? Ils disent que je suis folle, mais je parle la même langue qu'eux. Qui sont-ils ceux-là qui mettent du rouge sur mes copies? Qui sont-ils ceux-là qui corrigent? Qui sont-ils ceux-là qui griffent ma chair en soulignant mes verbes? Qui sont-ils ceux-là qui nous raturent? Savent-ils conjuguer l'imaginaire, quand les mains des arbres saisissent mes chevilles? Qui sont-ils ceux-là qui nous annotent? Savent-ils conjuguer le fusionnel quand je me dissous dans le monde?

Mère la mort, dans quelle langue les mots signifient-ils aussi leur contraire? Dans quelle langue l'absence de conjonction? Dans quelle langue ne peut-on lire les phrases que si on en connaît le sens? Mais non. Ils disent que je suis folle et ils croient que je ne les entends pas. Ils se servent du langage pour mentir et de l'orthographe pour nous soumettre. Ils ont tué les mots et ils disent que je suis malade parce que je m'en souviens. Ils ont choisi les formes qui nous déportent et ils disent que nous ne savons pas parler. Ils attachent des grelots à nos cous et disent, voyez les fous qui passent. Ils veulent que j'emploie les auxiliaires. Être et avoir, disent-ils. Mais ils ne savent plus les auxiliaires de quoi.

Le pouvoir et l'identité. Avoir et être. Les verbes qui se conjuguent avec être et ceux avec avoir. Les temps avec être. Les temps avec avoir. Pourquoi pas les deux formes? Pourquoi ne pas choisir? Les conjugaisons du pouvoir. Les conjugaisons de l'identité. Courir chercher la grammaire. Pour quoi faire, elle a son air impassible. Elle tricote l'écheveau de ma peine. Elle crochète les irrégularités. Elle élimine sournoisement les mots invariables. Écru, bisé, grisé, burel. Les couleurs de ma peine. Elle a son air impassible. Elle fait semblant de ne pas comprendre ce que je dis. Elle regarde dans son panier d'osier. Elle me propose les pelotes des temps composés. Il faudrait faire des fiches. Mais l'infirmière ne veut pas m'aider. Elle dit que je ne dois pas travailler. Elle dit qu'il faut que je me repose si je veux guérir. J'en mourrai. Je lui ai dit que je n'étais pas malade. Elle dit que nous disons tous cela. Ce n'est pas vrai puisqu'il y en a qui remercient d'être guéri. La rivière continue à baisser. C'est le soir. Le soir quand il prend la rivière à la gorge pour l'étouffer pour plus d'amour encore. La femme en mauve traverse maintenant les vignes et les murets. Les amandiers aussi peut-être ou le noyer. Le même carré de fenêtre que rien jamais ne peut faire basculer. S'y rassemblent tout le temps et tout l'espace. Je l'entends. Je la connais. Je la reconnais. Elle dit que nous disons tous cela. Mais ce n'est pas vrai.

Celle-là raconte comme elle a été folle. Celle-là raconte comment elle a guéri. Celle-là raconte comme elle a écrit un livre. Celle-là raconte comment elle est redevenue normale. Elle dit que maintenant elle n'a plus peur. Elle dit que les regards qu'elle croise ne la bouleversent plus. Elle dit que maintenant elle analyse. Elle dit qu'elle est guérie. Elle dit que son mari a eu raison de la quitter. Qu'elle était impossible. Qu'ils sont restés les meilleurs amis du monde. Qu'il y a entre eux deux le trait d'union des enfants. Elle est contente d'en avoir trois. Elle dit que la vie est merveilleuse. Elle raconte comment elle a été folle. Elle raconte comment elle ne l'est plus. Elle remercie le médecin qui l'a guérie. Elle dit qu'il faut que le traitement soit cher pour qu'il soit efficace. Elle dit qu'elle n'a plus jamais d'angoisse. Ils lui passent la balle. Elle la renvoie dans le panier qu'ils lui tendent. J'ai honte. Elle parle de son métier d'écrivain. De son ami le très talentueux. J'ai honte. Peut-être que j'aurai fini d'écrire avant que la rivière soit tout à fait à sec. Mais cette honte. Cette honte qui rejaillit sur nous toutes. Elle raconte comment elle a été folle. Elle remercie les médecins qui l'ont rendue à la normale. Elle dit que la vie est merveilleuse. Elle dit que les regards qu'elle croise ne la bouleversent plus. Ils l'ont eue. Ils ont fait d'elle une non-vivante.

Mère la mort, l'entends-tu? Elle parle de son métier d'écrivain. Et nous nous sommes enfermées dans ton ventre. Mes belles aux bois dormants murées dans les mouroirs. Mes cendrillons lumières du foyer. Mes blanches-neiges tenant la maison. Combien de temps encore pour parvenir jusqu'à elles. Pour les tirer par leurs manches trouées et leur dire, allons, allons les enfollées qui se croient guéries quand ils les ont tuées. Allons les enfollées qui se croient malades quand elles étaient brisées. Allons les enfollées. Nous ne pouvons pas guérir puisque nous ne sommes pas malades. Ils nous enferment parce que nous refusons de nous soumettre. Ils nous lavent au clystère parce que nous voulons vivre. Ils nous attachent parce que nous leur tendons les mains. Écoutons. L'entendons-nous qui dit, j'ai été folle et j'ai guéri. L'entendons-nous qui nous trahit. L'entendons-nous qui nous souffle de capituler. Tenons bon les enfollées. Nous cherchons l'autre langage qui nous rendra la parole. Tenons bon. Laissons nos transfuges rejoindre les non-vivants qu'elles encensent. L'entendons-nous qui dit, mon métier d'écrivain. Ma vie de mère de famille. Mes livres. Ils lui donnent la réplique. Ils lui demandent, c'était comment. C'était comment les enfers. Et elle raconte. Elle raconte. Ils demandent des conseils pour ne pas devenir fous. Et elle en donne. Le métier d'écrivain, disent-ils. Mon métier d'écrivain, dit-elle. La vie de mère de famille. Ma vie de mère de famille. Comment conciliez-vous? Comme s'il y avait quoi que ce soit à concilier.

Une porte cochère gigantesque. Fermant les cours invisibles de la rue. Une porte cochère abritant les amoureux sans lit. Une porte cochère recouvrant les vies innommables. Une porte cochère avec un marteau en bronze. Une porte cochère avec une tête de dragon. Une porte cochère si lourde qu'elle ne ferme pas. Une porte cochère que ne poussent que ceux qui ont la force. Alors. La voûte de tes cuisses. Les balcons. Les lilas. Les jasmins. Allons les enfollées. Nous inventerons l'autre langage. Nous dirons enfin la mort dans nos ventres et la vie dans nos bras tendus. Nous dirons la violence de nos enfantements. Nous dirons nos luttes de fœtus contre nos mères. Nous dirons l'assèchement de nos eaux pour tuer le cancer de nos matrices. Allons les enfollées, nous inventerons l'autre langage qui nous rendra enfin la parole. L'entendons-nous la folle qui raconte comment elle a guéri. L'entendons-nous qui dit mon métier d'écrivain. Je lui dis que je ne suis pas malade. Elle dit que nous disons toutes cela. Mais ce n'est pas vrai. J'en entends une qui dit qu'elle a guéri.

Ils disent que si moi aussi je guéris, ils me laisseront partir. Mais je ne guéris pas. Je confonds les personnes et les temps. Je cherche le nom de l'innommable. Le mot qui manque. Le pronom perdu depuis des millénaires. Le pronom de l'adoration des arbres. Le pronom des âmes des morts réfugiées dans les pierres. Le son qui manque. Le son que nos gorges connaissent et qu'elles ont oublié. Le son que n'incorpore aucun de leurs mots.

Mère la mort, je retrouverai ton nom. Une syllabe étrange endormie dans ma langue, là où ils m'ont coupé les cordes vocales. Je retrouverai ton nom et tes conjugaisons. Un son dont j'ai gardé la mémoire. Un son que n'enregistre aucune de leur grammaire. Un son resté dans ma gorge comme un refus de capituler. Un son comme ton corps.

Tous les jours, ils me battent. Ils disent qu'ils me laisseront partir quand j'aurai enfin trouvé. Mais je ne trouve rien. J'ai si mal au crâne que les chauves-souris s'envolent le soir dénicher les oiseaux. Ils disent qu'ils me laisseront partir. Mais je crois que ce n'est pas vrai.

Ils chercheront toujours à me ramener à l'hôpital pour ne pas m'entendre. Pour que rien ne cesse de mon désespoir. Pour que je continue à vivre leur malheur. Tu crois que je vais de mieux en mieux. Je sais que nous attendons ma mort. Je sais que tu ne changeras rien à mes objets. Tu repousseras mes chaussures dans un coin de la cuisine. Tu rangeras mes habits dans tes improbables armoires.

Tu dégages la terre qu'ils ont mise dans ma bouche. Tu cimentes les lézardes de mon crâne comme si ma survie dépendait de ton travail. Tu ravales les pierres de mon visage quand les larmes de ma détresse emportent la chaux de mon obstination. Mais les corps mutilés ne fleurissent plus. Les paroles oubliées ne reviennent pas. Les langues arrachées ne repoussent pas. Tu ne sais pas que je ne guérirai pas de la mort et que c'est le seul moyen qu'ils m'ont laissé de survivre. Ils me battent tous les jours pour que je trouve les pièces qui manquent sur leurs échiquiers. Mais je ne trouve rien. Je me souviens seulement des jeux qu'elle m'offrait quand je ne savais pas encore qu'elle ne m'aimait pas.

Tous les jours, ils viennent me chercher pour me conduire à l'interrogatoire. Ils m'emmènent le long des couloirs et tu nous regardes passer. Ils disent que je me souviens d'une langue dont ils ont perdu la mémoire. Ils disent que si je la retrouve ils me laisseront partir. Je crois qu'ils disent vrai et qu'ils ne me retiendront plus. Une langue très vieille dans le fond de mon corps. Une langue où les mots signifient aussi leur contraire.

Une langue avec trois modes. Le réel. L'imaginaire. Le fusionnel. Et bien d'autres sans doute. Une langue si pauvre qu'elle puisse dire enfin la cosmation. Une langue sans temps ni pronoms. Une langue si pauvre qu'elle sache encore ton nom. La langue dont je me souviens quand les oiseaux-pieuvres voltigent sur le mur de mon front. La langue des chevaux noirs valsant dans les plaines de mon désastre. La langue de tes bras grands ouverts dans ma nuit. La langue que je parlais quand nous courions dans les rivières. Mais les envahisseurs sont venus. Ils ont dit que les pierres ne vivaient pas. Ils ont arraché les arbres sans voir le sang qui coulait. Ils ont détourné les rivières sans entendre la terre qui criait. Ils ont séparé l'humide du sec. La mer de la terre. Les colombes des oliviers. Ils ont dit qu'un homme avait débarqué et qu'il avait tué le python qui gardait ta caverne. Comme si le temps pouvait tuer la mort. Ils ont multiplié les mots. Ils ont dit que le roi des enfers avait enlevé la fille de la terre, un jour qu'elle cueillait des coquelicots. Ils ont séparé les choses de leurs contraires. Ils ont dit que la raison naissait casquée de la cuisse du créateur. Ils lui ont tressé des couronnes de conjonctions. Ils ont perverti le langage. Ils ont inventé les pronoms et les articles. Ils ont fabriqué les temps de l'oubli. Ils ont dit que j'avais perdu l'entendement. Ils ont fait de moi une morte.

Mais j'ai survécu. Je me suis dissoute dans la mer où sédimentent les oiseaux-pieuvres qu'ils ont détruits. Ils ont dit qu'ils allaient me guérir. Mais je me suis enfonccc dans les gouffres où ils ne peuvent plus m'atteindre. Ils ont dit que j'étais malade. Mais je me suis coulée dans les fleuves. Ils ont voulu étendre sur moi leur pouvoir. Mais je leur ai échappé. Ils ont fermé ma bouche pour ne pas m'entendre crier. Mais je suis le cratère des volcans. Ils m'ont arraché les bras que je tendais vers eux. Mais je suis les branches des arbres écartelés. Ils ont tondu mes cheveux. Mais je suis les coraux barrant la route à leurs vaisseaux. Ils ont rasé ma toison pour fourrager dans mon ventre. Mais je suis les fougères de la forêt. Ils ont tatoué ma peau pour la marquer au nom des maîtres. Mais je suis la pierre de la montagne. Ils ont cru m'approprier. Mais je suis devenue le monde.

Tes outils n'ont pas changé de place dans l'atelier. Ta casquette reste accrochée avec tes habits. Il faudrait balayer la cour. Mais je n'en fais rien. La terre tombe de la falaise. Les pierres s'amoncellent. Bientôt, je ne pourrai plus ouvrir la porte qui mène à la source. A moins que ce soit les gravats qui tombent de mon toit. Ou bien plutôt tout ce qu'ils ont tenté de m'apprendre qui me quitte par lambeaux. Tu m'as donné du plâtre et de l'enduit. Des truelles et des couteaux. Mais ce n'est pas la peine. Elle va m'étouffer. Elle est en train de refaire les oreillers. Elle défait les anciens pour en refaire des neufs. Elle veut que je l'aide. Elle veut que je tienne d'un côté. Mais la plume me vole sur le visage. J'étouffe. Je pleurniche. Elle me dit que ce n'est rien. Elle tend sa main pour m'épousseter mais m'enfourne les plumes jusqu'au fond de la gorge. J'étouffe tout à fait. Je la supplie. Mais rien n'y fait. Je n'ai plus faim. Mange ma petite fille, c'est pour ton bien. Elle se penche pour m'embrasser. J'ai peur. Je disparais sous l'oreiller. Elle le maintient sur mon visage. J'étouffe. Je vais mourir. Je n'ai presque plus d'eau. Sa matrice se resserre pour me tuer. La rivière est presque à sec. C'est le cœur de l'été. Elle dit qu'elle m'aime. Alors, pourquoi veut-elle me tuer?

Les pierres de la falaise tombent sur le corps de la maison. Tu as mis des filets sur le toit, pour les rattraper. Mais cela ne suffit pas. Le niveau de la rivière continue à baisser. Je n'aurai pas trouvé avant la fin de l'été. Ils ne me laisseront pas partir. Ils me ramèneront à l'hôpital. Tu me regarderas partir. Je n'aurai rien à leur répondre. Ils me recoucheront dans le lit de fer. Ils me referont les piqûres porteuses de coma. Ils disent que nous ne souffrons pas. Qu'en savent-ils, ceux-là qui nous assassinent? Ils m'enfermeront dans la cellule de réadaptation à la vie. La cellule des barreaux broyant nos espoirs. La cellule des murs compagnons de nos têtes. La cellule qu'ils ont assourdie pour pouvoir trancher nos vies sans douter. Ils me ramèneront à l'hôpital. Je ne peux casser la langue. Bientôt la fin de l'été. Je n'ai rien trouvé. Ils disent qu'ils me laisseront partir quand je serai guérie. Quand je serai devenue comme eux. Ils veulent absolument que je devienne quelqu'un. Mais je ne comprends rien de ce qu'ils disent. Ce n'est pas de moi dont ils parlent. Malentendu complet. J'ai mal aux jambes. Ils parlent de la structure de la phrase.

Je mets du sang sur les glaces. Ils parlent de forme d'écriture. Je dessine sur les murs de la chambre. Ils parlent d'abondance d'images.

Tu m'apportes à manger sur le seuil. Elle est sur le balcon. Elle défait les écheveaux autour de mes bras ouverts. Écru, bisé, grisé, burel. Les couleurs de ma peine. Rien à faire, je n'apprendrai pas à lire. Je m'endors sur leurs histoires à mourir d'ennui. Mais ils ont besoin de nous pour continuer. Ils ne peuvent vivre qu'en nous appropriant. Ils ne peuvent vivre qu'en nous détruisant. Ils parlent de nos cris mais c'est pour les étouffer. Ils parlent de nos phrases mais c'est pour les annoter. Ils parlent de nos images mais c'est pour les bâillonner. Ils disent que les assiettes ne clapotent pas. Ils disent que la vaisselle ne croasse pas. Ils disent que le ciment ne coagule pas. Qu'en savent-ils? Qui sont-ils ceux-là qui tranchent dans nos phrases? Qui sont-ils ceux-là qui coupent dans nos chairs? Qui sont-ils ceux-là qui goûtent la couleur de notre sang? Ils ont multiplié les mots et ils ne peuvent plus converser. Ils confondent le pouvoir et la puissance. Ils ont besoin de la nôtre pour survivre. Mais nous n'avons pas besoin d'eux. Si je trouve la pièce qui manque, ils me laisseront partir. Mais ils ne peuvent admettre notre différence. Il faut qu'ils nous possèdent pour se faire croire qu'ils vivent.

Le soleil déborde de la montagne. La rivière a encore baissé. Elle découvre une plage de plus en plus grande. Les corbeaux commencent leur vol. Voilà longtemps que je les entends. Le linge sèche au balcon. Dans la cour. L'oiseau sur le rebord du toit. Il attend que tu aies passé pour rentrer dans son nid. Le soleil dans les toiles d'araignée. Les hirondelles sur le rebord du balcon. Le lézard mangeant les insectes. La moisson. Le foin qui sent fort. La lumière. Mille soleils dans mon corps. J'avais quelque chose à faire mais je ne me rappelle plus quoi. La folie. Le pouvoir. L'identité. Je ne me souviens plus. J'ai de moins en moins de choses à faire au fur et à mesure qu'on avance dans l'été. Je me souviens quelquefois d'une femme en mauve assise sur le balcon. Je me souviens d'elle quand je regarde la corniche de la terrasse. Le bord s'est effondré. Sous le plâtre, la pierre ocre réapparaît. Il paraît que ce n'est pas vrai. Qu'elle a toujours été comme ça. Qu'il faudra la refaire un jour. Ce n'est pas pour tout de suite. Chaque jour, elle croule un peu plus. Un jour sans doute, la terrasse tout entière basculera. Moi avec. Ce jour-là enfin la délivrance. Il paraît qu'elle n'a pas changé. Qu'elle a toujours été comme ça. C'est peut-être moi qui cogne la corniche pour en finir plus vite. Pourtant je n'ai pas quitté la chambre. Depuis combien de mois? Je ne sais pas. Elle est partie avec le calendrier et toi tu as toujours le même visage.

Ils coupent dans ma chair des phrases entières. Quelquefois même ils signent mon nom. A quoi cela sert-il d'écrire si les chiens passent à travers la grille fermée? Les hirondelles nichent sous le rebord des toits. De plus en plus de galets au fond de la rivière. Le crépi se détache délivrant les pierres séparées. Il paraît qu'il sert à protéger les maisons. C'est à cause de lui sans doute que j'ai survécu. Ils tranchent dans ma chair sans voir les mots qui saignent. Ils signent nos noms croyant s'approprier nos vies. Ils confondent le pouvoir et la puissance. Ils ont besoin de nous. Nous n'avons pas besoin d'eux. C'est mon nom que prononce la lézarde dans l'atelier. C'est mon nom que prononce la lézarde qui s'agrandit tous les jours un peu plus. Il paraît que ce n'est pas vrai. Tu essaies de te rassurer. Tu la mesures tous les jours pour en avoir la certitude. Cela ne prouve rien. Ils saignent nos chairs et signent de nos noms. Mais c'est son nom à elle qu'elle prononce dans son ventre qui craquèle. Ou bien plutôt c'est leurs noms à eux puisqu'ils se l'approprient.

Un homme. Le temps avec ses chevaux. Un homme qui poursuit une femme. Une femme fille d'un fleuve. Un homme poursuit une femme. Mais, quand il la saisit, elle devient laurier. Ils coupent dans nos phrases et signent de nos noms. Mais c'est leur nom à eux que prononce la lézarde de mon front. Moi, j'ai disparu. Ils sont seuls. Ils croient m'approprier. Ils n'ont plus entre les mains que la lézarde qui s'agrandit. Je deviens l'innommable. Ils me possèdent mais ils sont seuls. J'ai disparu d'entre leurs mains. Je survis dans les galets de la rivière. Je survis dans le laurier abritant leurs chevaux.

Ils ont besoin de notre force pour exister. Mais ils ne peuvent admettre notre différence. Nous n'avons pas besoin d'eux. Mais ils ne peuvent l'accepter. Je reste assise à regarder le mur. Ils disent que je suis folle. Je cherche seulement la pièce qui manque. La pièce qui permettrait enfin de leur répondre. La pièce qui manque entre le pouvoir et l'identité. La pièce qui manque entre les asiles où ils nous enferment et le pouvoir qu'ils s'arrogent. Ils ont besoin de nous. Nous n'avons pas besoin d'eux. Si je trouve, ils me laisseront partir.

Tu plâtres les craquelures de mes membres pour que je marche encore un peu. Jusqu'où? Vers quand? Peut-être, le sais-tu? Peut-être connais-tu la pièce qui manque? Depuis combien d'années que tu ne parles pas? Ton silence abrite les oiseaux-pieuvres que je peins sur le mur de la chambre. Tu lis leurs noms dans les livres depuis des années d'insomnies. Tu poses leurs ailes sur les marches de pierre dans les matins incandescents. J'en trouve des monceaux sur le seuil de la chambre. Peut-être que j'y arriverai. Tressant bout à bout toutes ces bribes ramassées dans ton errance. Peut-être que, si je parviens à les réunir, je trouverai enfin. Quand tu regardes les oiseaux peints, tu crois qu'ils ont sans doute existé. Tu as vu des gravures dans les livres. Peut-être que je trouverai enfin la pièce qui manque et qu'ils me laisseront partir.

Mais non. Tous les jours ils me battent. Ils me conduisent à l'interrogatoire et me demandent le subjonctif passé. Mais je ne sais leur répondre que la rivière traversant mes mains transparentes. Ils disent que ce n'est pas vrai. Ils ne me laisseront pas partir et j'en mourrai. Ils vont me ramener à l'hôpital. Je n'ai rien à leur répondre. Ils décident pour moi. Ils me nomment. Ils définissent le problème. Ils parlent à ma place. Mais ils n'ont rien à dire. Alors ils ont besoin de nous. Ils maintiennent leur pouvoir par le langage. Ils choisissent les formes qui les avantagent. Ils disent que j'invente des mots. Ce n'est pas vrai. Je les rétablis. La déportation. Le déportement. La déporture. La déportance. La déportude. Je ne fais qu'appliquer leurs règles. Mais ils ne les admettent qu'à leur avantage. Séquestration et non séquestrement. Fracassement et non fracassation. Je n'y parviendrai pas. Ils ont choisi dans la langue les formes qui les avantagent. Ils n'ont gardé que les suffixes qui assurent leur pouvoir. Ils nous interdisent d'utiliser les autres. La déportation. Par quelles ambulances? Le déportement. De quel corps ligoté? Le déportage. De quelle chair terrorisée? La déporture. Dans quel compte rendu de surveillant? La déportance. Dans quelle souffrance qui ne peut plus cesser? La déportude. Dans quel amour dont ils m'ont retranchée? Mais non. Ils disent seulement la déportation. Et mes chairs mortes tombent dans l'oubli.

Ils disent que j'invente des mots. Ils disent que c'est le signe de ma maladie. Ils lui donnent même un nom. Comment déjà? Ils disent que je suis folle parce que j'invente des mots. Ils nous obligent à conjuguer les verbes pour enchaîner nos aurores. Mais elles éclatent quand même au bout de notre nuit. Ils nous imposent des règles de grammaire pour approprier nos matins. Mais les oiseaux s'envolent quand même de nos mains en fusion. Ils annotent leurs ailes à l'encre rouge. Mais nous survivons dans ce qu'ils nomment nos fautes. Ils raient vengeurs la lumière de nos têtes. Et ils ne voient même pas le sang qui coule.

Mère la mort, je n'ai rien trouvé. Ils vont me ramener à l'hôpital. Ils font de nous des objets pour pouvoir nous approprier. Ils disent tout le temps, un sujet, un verbe, un complément. Mais le soleil dans nos yeux? L'accord du participe. Mais la rivière dans nos corps? La concordance des temps. Mais la montagne ouverte sous le ciel? Ils nous réduisent à des objets pour pouvoir nous approprier.

Ils ne voient pas les mains des arbres et ils disent que ce n'est pas la réalité. Mais que savent-ils de la réalité? Ils nient nos imaginaires pour imposer le leur. Ils nient nos imaginaires et appellent le leur réalité. Ils nous approprient. Et nous n'avons rien à leur répondre. Nous en mourrons. Ils nous rendent fous. Ils prétendent nous guérir. Mais ils veulent seulement nous soumettre.

Ils ne connaissent ni le réel ni l'imaginaire. Ils ne connaissent que leur doigt qu'ils prennent pour la main. Que leur sentier qu'ils prennent pour la forêt. Que leur pierre qu'ils prennent pour la montagne. Ils ne connaissent ni le réel ni l'imaginaire. Et c'est leur main à eux qu'ils posent sur nos yeux. C'est leur imaginaire à eux qu'ils nomment réel. Ils normalisent nos corps dans les carcans de leurs rêves. Ils prennent nos chairs dans les filets de leurs désirs. Ils brisent nos mouvements sur les barrages de leurs affirmations. Ils disent qu'ils vont nous guérir. Les gentils disent même quelquefois que nous avons raison. Ils nous attachent des rubans et nous promènent sur leurs poings. Ils nous lâchent sur leurs ennemis pour que nous leur crevions les yeux. Et quand la chasse est finie, ils nous rappellent. Les gentils disent qu'ils nous défendent. Les gentils comme les autres nient nos souffrances. Les gentils comme les autres ne peuvent vivre ensemble le réel et l'imaginaire.

Ils ne peuvent admettre de vivre ensemble le réel et l'imaginaire. Ils nous rendent fous. Ceux du pouvoir qui ne peuvent vivre qu'en nous appropriant. Et les gentils aussi. Les gentils qui nient nos souffrances. Les gentils qui nous prennent pour leurs faucons. Les gentils qui nous montrent comme leurs mascottes. Les gentils qui nous laissent serrer les bras des arbres. Les gentils qui nous laissent étreindre les branches mauves. Mais les gentils se détournent aussi, quand nous nous perdons dans la nuit.

Ils ne peuvent admettre le réel et l'imaginaire. Nous mourrons de ne pouvoir entrer dans leurs cadres étriqués. De ne pouvoir rester dans leurs petits moules. De ne pouvoir traverser leurs laminoirs. Nous nous cognons la tête contre les murs. Nous n'osons pas penser qu'ils sont nos oppresseurs. Ils prétendent nous soigner. Ils tuent nos imaginaires parce qu'ils menacent leur pouvoir. Ils tuent nos imaginaires ou bien ils nous rendent fous. La pièce qui manque. La pièce qui manque entre le réel et l'imaginaire. La pièce qui manque entre le pouvoir et l'identité. La pièce qui nous enfolle.

La rivière continue à baisser. Elle est presque à sec. Je ne trouve pas. Je ne trouve pas la pièce qui reconstruirait tout le jeu entre mes mains tremblantes. Tu répares les portes qu'ils ont fracturées. Tu recolles les statues qu'ils ont jetées dans la cour. Tu installes la lumière dans l'escalier. Je n'en ai pas besoin. Je ne quitte pas la chambre. Tu es ce présent dilaté qui refuse de parler.

La rivière continue à baisser. Elle est presque à sec. Je ne trouve pas. Ils veulent nous guérir. Mais ils nous rendent fous. Ils veulent nous rendre au réel. A la raison. A je ne sais quoi encore qu'ils ont inventé. A je ne sais quoi encore que les envahisseurs ont imposé. Ils tordent le langage. Ils font semblant de confondre l'individualité et l'individualisme. Ils ne confondent pas. Ils font semblant. Sinon comment excommunieraient-ils? Ils font semblant de confondre l'égalité et l'uniformité. Ils ne confondent pas. Ils font semblant. Sinon, comment normaliseraient-ils? Ils font semblant de confondre la différence et la hiérarchie. Ils ne confondent pas. Ils font semblant. Sinon, comment incanteraient-ils? Ils font semblant de confondre parler et vivre. Ils ne confondent pas. Sinon, comment maintiendraient-ils leur pouvoir?

Je cherche la pièce qui manque, mais je ne trouve rien. Ils vont me ramener à l'hôpital. Ils vont me rattacher dans le lit de fer. Ils renverront dans ma tête mille soleils. Ils diront que c'est pour mon bien. Et je crierai. Et je crierai si fort qu'ils m'enfermeront dans leur cave. Je crierai si fort qu'il manque une pièce entre le pouvoir et l'identité. Je crierai si fort qu'ils broient nos vies dans les tenailles de leur langage. Pas toujours. La plupart ne sentent rien. La plupart, la non-vie. Pas la mort. Mais ils ne savent pas la différence. La plupart, la non-vie. Le conformisme. Le confort. La tension nulle. L'absence d'individualité. L'absence de souffrance. L'adhésion au plus fort.

La plupart. La non-vie. Quelques autres, le malheur. Le malaise. La maladie. La montée de nos forces, les bras tendus. Le conflit avec l'intolérable. La maladie. Une situation d'équilibre. Une solution trouvée. Une adaptation. Une prothèse. Un emplâtre. Une béquille. Mais non. Ils prétendent nous guérir. Ils nomment nos pauvres solutions. Ils disent qu'ils nous soignent. Ils disent qu'ils nous guérissent. Ils nous uniforment. Ils nous normalisent. Ils nous rasent. Ils disent qu'ils nous guérissent. Ils nous forcent. Ils nous tuent. Le réel. L'imaginaire. Le pouvoir. L'identité. Un rapport de forces. Ils nous brisent. Et nous disons merci.

Pas toujours. Quelquefois. Certains. Le refus de la guérison. Le refus de la normalisation. La maladie inondant les terres. Nos fragiles barrages renversés. Nos digues effondrées dans nos propres rivières. L'équilibre rompu. Pour un mot entendu. Pour un mot retrouvé. Pour un mot par hasard, une fois. Pour un mot consenti.

Le conflit insurmontable. Le réel plus fort que l'imaginaire. L'imaginaire plus fort encore que le réel. Le réel. L'imaginaire. Corps à corps, mes amours sans merci. Une lutte à mort. Un équilibre rompu. Ils nous croient guéris. Le conflit insurmontable. Mon corps jeté à la rivière. Mon corps à la rencontre de leurs roues. Mon corps abandonné au gaz. Mon corps noyant, tissant le grand retour. Mon corps éclaté mêlé au gravier. Mon corps étranglé pendant au prunier.

Mais, contre toute attente, je survis. Nous survivons. Une pression intolérable. Ils me saisissent dans les tenailles de leur grammaire. Ils broient ma tête dans le casse-noix de leur vocabulaire. Ils m'écrasent sous les marteaux-pilons de leur argumentation. Je ne comprends plus rien. Je vais mourir. Me couper d'eux pour survivre à moi-même. L'imaginaire unique dévastant les jardins du réel. L'imaginaire unique défoliant les forêts du réel. L'imaginaire unique fracassant les rochers du réel. L'affirmation de l'imaginaire comme une force unique. L'imaginaire pris pour le réel. La folie. L'asile. Le maintien de la pression externe. L'absence totale d'espoir. L'absence de confirmation de la différence. L'individualité en détresse. Les forces du pouvoir victoriantes. Le conflit dépassé. Le conflit résolu. L'intolérable toléré. La courroie qui lâche. La tension qui cesse. L'attraction de la folie sur les follants. Ils nomment fous leurs contradicteurs. Ils préjugent de l'issue du conflit. Ils précipitent l'issue du conflit. Ils nous enferment. Ils gagnent.

Mais, contre toute attente, je survis. L'équilibre précaire rompu. Les forces intérieures les plus fortes. L'affirmation de l'imaginaire. L'art. La tentative désespérée de témoigner de l'amour conjoint du réel et de l'imaginaire. La création d'un monde. L'affirmation de la différence. La seule tentative de lever le malentendu.

Mais ils veulent détruire notre identité parce qu'elle menace leur pouvoir. Ils nous obligent à parler. Le seul moyen qu'ils ont de rattraper notre évasion. Ils veulent nous faire parler de nos oiseaux pour se les approprier. Pour les couler à nouveau dans leurs moules de langage. Pour les saisir à nouveau dans leurs pièges. Ils veulent nous faire parler de nos oiseaux pour les emprisonner. Quelquefois, ils y parviennent. Quelquefois, ils n'y parviennent pas.

Ils veulent nous faire parler. Le seul moyen qu'ils ont de s'introduire entre nos mots et nous. Il y en a un qui s'était échappé. Il y en a un qui courait vers la montagne. Il y en a un qui courait au-delà des barbelés. Mais ils l'ont poursuivi. Mais ils l'ont rattrapé. Mais ils lui ont arraché les oiseaux qui cachaient son visage. Ils lui ont arraché le nom qu'il s'était choisi. Ils lui ont rendu celui qu'ils lui avaient donné. Ils disent qu'ils lui ont rendu sa véritable identité. Qu'en savent-ils? Il courait vers la montagne mais ils l'ont rattrapé. Ils lui ont arraché ses habits. Ils ont relevé le numéro sur son bras matriculé. Ils disent qu'ils lui ont rendu son identité. Fallait-il qu'ils aient peur. De quoi ont-ils si peur qu'ils marquent nos noms au fer rouge? Le pouvoir. L'identité. Le réel. L'imaginaire. Il y en a un qui avait sauté les barbelés. Mais ils l'ont rattrapé. Il y en a un qui courait vers la montagne. Mais il s'est mis à parler. Ils se sont jetés sur lui. Ils lui ont rendu son nom. Ils l'ont rapproprié. J'en entends un qui dit, c'est mon fils. J'en entends un qui dit, il a le bras tatoué. J'en entends un qui dit, j'ai aidé ses premiers pas. J'en entends un qui dit, il ne voulait rien me devoir. J'en entends un qui dit, il est à moi.

L'art comme une béquille pour marcher sur les moignons sanglants qu'ils nous ont laissés. L'art comme une béquille pour témoigner de notre imaginaire. Mais ils veulent nous faire parler. Le seul moyen de s'introduire dans notre chair. Le seul moyen d'arracher les lambeaux de corps qui nous restent. Le seul moyen de s'approprier ce qu'ils nous ont laissé de vie. Ils sont les charognards de nos peintures. Les bouseux de nos danses. Les parasites de nos grandes orgues. Ils veulent nous faire parler pour nous arracher les miettes de notre corps cosmique. Ils veulent nous arracher à nous-mêmes. Nous englober. Nous engluer. Ils ne peuvent se nourrir que parce qu'ils nous absorbent.

Mais l'écriture n'est pas un art. A cause du langage. Si je parviens à le faire éclater. Ils ne pourront plus rien sur moi. Ils me laisseront partir. Mais je ne pourrai pas. La rivière continue à baisser. A moins que ce soit seulement la plage qui soit mouillée. Pourtant, je vois le fond de son corps. Les galets rouges dans le creux de la vallée. Il paraît que la rivière ne baisse pas. D'où vient alors que j'ai si mal aux mains? C'est sans doute qu'ils me les ont coupées. Où donc disent-ils que c'est le signe de l'éternité?

Ils me battent pour me forcer à écrire. Ils me battent jusqu'à ce que je me mette à écrire. Si je trouve, ils me laisseront partir. Si j'invente un autre langage, je leur échappe tout à fait. Mais il n'y en a pas d'autre. Elle est notre langue commune. Je n'en connais pas d'autres. Ils vont me ramener à l'hôpital. Je n'ai pas trouvé le verbe qui veut dire vivre et mourir et qui n'existe qu'à l'infinitif.

Mais non. Je ne pourrai pas. Je suis trop fatiguée. Voilà trop longtemps que je marche vers le grand repos. Mes cheveux n'ont plus à boire. Abandonne-moi que j'entonne enfin les grandes orgues de la folie. Abandonne-moi que je vienne brûler mes ailes multicolores aux flammes de mon désastre. Abandonne-moi que je rejoigne les femmes enfollées de l'autre côté du miroir. Je ne m'en tirerai pas. Il n'y a pas de langue avec un seul pronom. Il n'y a pas de langue pour cette mort qui n'en finit pas de parvenir jusqu'au jour. Il n'y a pas de langue qui conjugue l'imaginaire et le fusionnel. Je mourrai. Mon corps se déchire aux points cardinaux de l'horizon. La marge. La frontière. Juste avant la folie. Entre deux eaux. Entre deux mondes. Quand les chevaux noirs fracassent leurs naseaux contre le miroir. Quand les chevaux noirs m'emportent vers la femme en robe mauve. Quand les chevaux noirs s'enlisent dans la mangrove.

Elle dit que je ne suis pas encore tout à fait folle mais

que je vais le devenir. Elle me serre dans ses bras. Elle dit que je vais devenir folle. Elle me dit entre toi et moi. Entre toi et moi. Comme si ce n'était pas la même chose. Entre toi et moi, je choisis moi. Elle m'abandonne. Elle croit pouvoir se sauver seule. Elle en mourra. Moi aussi. J'entre dans la nuit. Je ne saurai plus jamais conjuguer les verbes. Ils vont venir me chercher pour me conduire à l'asile. Elle leur dira c'est elle. Elle ne sait pas parler français. Je ne sais pas parler français. Je ne peux pas parler français. Je ne veux pas parler français. Je ne sais pas la grammaire. Elle rit de mes fautes d'orthographe. Sûre d'elle. Je cours en travers dans les traquenards qu'elle me tend. L'accord du participe. Tu la connais, la règle des participes? Elle est furieuse. Elle va m'étouffer. Non, elle rit. J'ai répondu je ne sais quoi. J'ai peut-être parlé des étoiles. Ou des marécages. Ou de la falaise. J'ai peut-être simplement répondu oui et non. Elle a ri. Mais elle ne m'a pas ouvert les bras. Elle les a appelés. Elle a dit, c'est elle. Elle ne sait pas parler français. Je cours entre les murailles qu'ils ont dressées. Je cours vers elle. La femme mauve, son ombrelle, sa robe de dentelle. Mon sang sur ses mains. La femme mauve secoue sa robe et referme son ombrelle. Je cours vers elle. Les bras tendus. Je la supplie. Apprends-moi. Apprends-moi la langue qu'ils m'ont arrachée. Apprends-moi la langue qui n'a qu'un temps. L'infinitif sans doute.

Mère la mort, rapprends-moi la langue où je pourrai enfin dire mon corps qui se dissout dans la lumière.

Mes yeux brûlés par les soleils dont ils se détournent. Mes mains coupées dans les vergers d'outre-raison. Rapprends-moi la langue qu'ils ont tuée. Quand les envahisseurs sont venus. Essaie encore une fois de m'apprendre la règle des participes. Quand les verbes éclatent. Quand ils se cassent en deux, cognés aux murs où ils les enferment. Quand les verbes éclatent dans les miroirs brisés. Quand les verbes éclatent participe et auxiliaire. Quand ils retirent des verbes être et avoir pour n'en garder que la carcasse morte. Participe présent. Participe passé. Participe futur? Mais ils n'osent même pas y penser.

Ils n'ont gardé que le participe et ils ont oublié à quoi. L'essentiel. La langue en a gardé la mémoire. Mais ils ne la reconnaissent pas. La langue en a gardé la mémoire. Pour combien de temps encore. Croquer le marmot. La mer est grosse. La petite mort. Pour combien de temps encore? Quand mon corps tombera en désuétude. Quand mes bras tordus seront des formes archaïques. Quand l'étymologie de mes pieds transplantés sera controversée. Pour combien de temps encore notre mémoire commune réfugiée dans les expressions qu'ils n'ont pas réussi à tuer? La mer est grosse. Enceinte de quel naufrage? Combien de temps encore notre langue se souviendra-t-elle que tu as voulu m'étouffer? Me liquider? M'engloutir? Glouter a-t-il jamais existé? Ou bien plutôt a-t-il déjà disparu? Peut-être l'ont-ils effacé avec tout ce dont ils ne peuvent se souvenir. Peut-être a-t-il déjà disparu avec la statue aux seins nus. La robe à volants. Les serpents dans les mains. L'oiseau sur la tête. Dans quelle île déjà? Mais ils l'ont jetée à terre, croyant s'arracher d'elle. Mais je m'en suis souvenue. Et plus encore de la femme au ventre dilaté. Trouvée dans quelle grotte? Cuite dans quelle terre? Protégée par quel sol? Ils lui ont donné un nom mais elle est l'innommable. Ils lui ont donné un nom et ils ont oublié qu'elle gloutait, du temps où le sang de sa vulve rythmait les saisons. Ni au passé, ni au futur. Peut-être seulement à l'imparfait de notre errance ou au plus-que-parfait de nos conversations.

Ils disent que glouter n'a jamais existé. Après tout, qu'en savent-ils? Il y a bien glouton. Engloutir. Engloutissement. Engloutissage. Engloutation. Non, la mort. Mais non, ils ne disent rien du tout. Ils ont trop peur de ce qu'ils pourraient découvrir. Tuer. Noyer. Manger. La même chose. Le même verbe, pourquoi pas. Je suis dans sa matrice. Elle ne veut pas que je naisse. Elle m'étouffe. Je disparais en elle. Elle m'engloute. J'ai soif. J'ai chaud. J'ai faim. Elle m'aspire pour me dissoudre dans son corps. Pour me digérer dans sa chair. Une horreur qui ne finit pas. Les oiseaux-pieuvres qui voltigent autour de moi. Le baiser de sa matrice qui m'absorbe.

Mère la mort. Dans ton ventre, j'avais faim. Elle me regarde de ses yeux noirs. Dans ton ventre, j'avais faim et soif et chaud. Elle me regarde. Celle-là, je n'ai pas pu l'étouffer. Mais elle a eu très mal. Elle a eu si mal qu'elle ne sait plus conjuguer. Ils viennent pour l'emmener. Elle leur dit que c'est moi. Je ne sais pas parler français. Elle leur dit, entre moi et elle. Ils m'emmènent. Ils m'enferment dans le mur. Ils me coulent dans le béton quand ils construisent les ponts. Ils disent que je suis folle. Ils ont peut-être raison. Je suis notre commune mémoire qu'ils veulent tuer.

Il fait si chaud dans cette pièce. Je ne peux pas rester. J'ai soif. J'ai si soif. La rivière est presque à sec. Elle ne veut pas me donner à boire. Elle dit que je ne suis pas raisonnable. Elle dit qu'elle va m'attacher. Elle dit qu'ils vont me ramener à l'hôpital. Elle dit que je ne sais pas parler français. Elle dit qu'ils ne peuvent rien faire de moi. Elle dit que je n'arriverai jamais à rien. Elle dit que je ne fais aucun progrès en orthographe. Elle dit que si je continue comme cela. Si je. Si cela. Cela continue comme cela. Elle dit que je ne sortirai jamais. Elle dit que ceux qui sont là, personne ne vient les chercher. Elle dit que ce n'est pas la peine de repriser leurs vêtements parce que personne ne vient jamais les voir. Elle dit que si je ne suis pas raisonnable elle ne me donnera pas à boire. Je vais mourir. Peut-être pas. Peut-être que je vais trouver la pièce qui manque. Peut-être que je vais trouver et qu'ils me laisseront rentrer chez nous. Peut-être que je vais trouver la pièce qui manque. Ce qui se passe en moi quand elle cherche à m'étouffer. Quand je lui résiste. Quand je cherche à l'engloutir en moi et qu'elle veut vivre. Peut-être que je vais trouver. Elle ne veut pas m'aider à faire des fiches. Elle ne veut pas m'expliquer les livres. Elle dit qu'elle a trop de travail avec tous ces malades. A elle toute seule. Et la sécurité. Les

79

mesures de sécurité. On ne devrait pas être toute seule. Imaginez. S'il y en a une qui me saute au cou. J'ai obtenu le droit d'avoir une arme. Personne ne veut plus faire ce métier. Elle ne veut pas m'aider à faire des fiches. Elle dit que je dois rester tranquille et me reposer. Que je suis là pour ça. Que je n'ai qu'à faire comme les autres. Que je peux bien tricoter sur la terrasse. Quand elle les trouve, elle prend mes papiers et elle les jette dans la cheminée.

Mais j'y arriverai quand même. La pièce qui manque. Tout se joue à ce moment-là. Dans son ventre. Quand elle veut m'étouffer. Tout se joue si je parviens à résister. Le pronom indéfini. Toi et elle. Toi et moi. Entre moi et elle. Je et tu. Tu et elle. Elle et moi. La pièce qui manque. Le pronom qui sert à dire à la fois je veux vivre et elle veut me tuer. Je veux mourir. Tu veux que je vive. Tout se passe à ce moment-là. Les verbes qui incorporent les pronoms. Les pronoms qui minent la fusion. Les pronoms. Leur travail de séparation. Les verbes qui signifient aussi bien leur contraire. Une langue très pauvre. Des radicaux verbes et substantifs. Des conjugaisons qui se déclinent. Des suffixes qui se multiplient. Des racines qui s'étendent jusqu'à leur faire rendre tous les possibles. Pour que chacun y reconnaisse les fleurs de ses chemins et le sang de sa bouche. Une langue assez pauvre pour chacun. Une langue assez pauvre pour les cauchemars et pour la joie. Une langue assez pauvre pour qu'elle fasse cesser enfin la séparance. Mais elle ne veut pas m'aider à chercher. J'y arriverai peut-être sans elle. Elle ne veut même pas me donner à boire. Elle veut que je meure. Elle veut que je retourne à l'hôpital. Elle veut m'étouffer dans sa matrice. Elle sait bien que c'est à ce moment-là que tout se passe. La confusion des pronoms.

Ils écoutent mes phrases et glosent sur la confusion des personnes. Ils parlent de la recherche de l'identité. Mais le langage lui-même est colonisé. La recherche de l'identité. Un faux problème. Une femme cherche son identité. Une folle confond les personnes. Une mauvaise élève retombe dans ses fautes de grammaire. Une femme cherche son identité. Mais non, puisque je suis là attachée dans le lit. Elle ne veut pas me donner à boire. Ils disent que je suis brisée. Mais la fenêtre ouverte? Les oiseaux qui planent du haut de la falaise. La rivière presque à sec. Le réel. L'imaginaire. Interchangeable. Mais ils me battent pour me faire avouer. Ils me battent depuis des années. Une réalité. La réalité. Le réalisme. La réalisation. Le réalisement. La réalitude. A en mourir. Mais non. Elle ne meurt pas. Elle parle. Qui est-elle? Ils regardent l'épave qui se noie. La longue-vue. Le sextant. La boussole. Un beau naufrage. Une folle se pend dans sa cellule. Un nouveau style. Une condamnée à mort guérit. Une nouvelle perception de l'espace et du temps. Dans une matrice inconnue, un fœtus va mourir étouffé. L'identité. Le même ou vers le un? Je ne sais plus. Une femme cherche son identité. Une folle enfermée recherche la pièce qui manque. Une mauvaise élève ne sait pas le lien entre le pouvoir et l'identité. Une

81

mère de famille se souvient de sa matrice contractée. Un fœtus garde la mémoire de l'angoisse mortelle de sa gestation. Une condamnée à mort essaie de démonter la serrure de sa porte. Je cherche la pièce qui manque. Je l'ai déjà dans les mains. Mais il faut la poser dans l'autre sens.

Tu feuillettes les journaux. Qu'est-ce que tu recherches? La vérité. Ou la réalité. Je ne sais plus. Ce qui s'est enfin passé. Ou ce que les journaux ont relaté. Ou ce que j'ai inventé. Tu feuillettes. Tu n'as pas encore aménagé ta bibliothèque. A moins qu'ils disent que les malades n'y ont pas accès. Je n'ai pas encore retiré les toiles d'araignée dans le coin de la porte-fenêtre. La porte de la terrasse. La vue sur la vallée. Tout en bas, la rivière. La plus belle vue du village. J'y vois seulement le balcon descellé un jour que la rivière chantera trop fort. Tu plantes de la vigne ou des roses, je ne sais pas. Je n'entends que le discours monocorde de mes mains sur les galets. Elle est sur le balcon à dévider ses écheveaux de laine. Elle cherche à m'étouffer. Elle y réussira sans doute. Il n'y a déjà presque plus d'eau. Dans le fond de la vallée. Tout en bas. La rivière presque à sec. Les galets monocordes des violons de l'été. Tu feuillettes tes journaux, assis par terre dans la poussière. Tu n'as pas encore aménagé la bibliothèque. Tu cherches dans la pile. Tu te souviens de l'année. Du mois aussi, sans doute. C'était un peu avant qu'ils m'enferment. Combien d'années déjà?

Tu me revois avant qu'ils m'emmènent. Feuilletant

les journaux. Penchée sur la table. Remuant les feuilles imprimées. Quand il y avait encore des noms propres et des dates. Tu prétends que je ne l'ai pas inventé. Que cela s'est passé réellement. Ils ont dit que ce n'était pas vrai. Que cela était seulement un cauchemar. Qu'il fallait oublier. Ils m'ont dit pendant des années que ce n'était pas vrai. Alors, je ne sais plus. Pourtant, je n'ai pas pu inventer une chose pareille. Le meurtre de deux adolescents et d'un ouvrier agricole. Tu crois que j'ai dit la vérité et que ce sont bien les policiers qui les ont tués. Tu es sûr que c'était leur nom et leur âge. Mais ils ont dit que ce n'était pas vrai. Que c'était une histoire inventée. Ils m'ont enfermée. Je ne sais plus si c'est une histoire inventée. Ils m'ont enfermée. Je ne sais plus si c'est une histoire vraie. Je ne le crois pas. C'est seulement une invention pour les rayons de la bibliothèque que tu es en train de construire. Ils disent que les malades n'y ont pas accès. C'est peut-être seulement dans ma tête quand elle se cogne au balcon descellé. Ou bien dans le discours monocorde de la rivière. Ou bien dans les écheveaux qu'elle dévide pour m'attacher au lit de fer. Écru, bisé, grisé, burel. Les couleurs de ma peine.

Tu prétends que ce que j'écris est vrai. Que c'est bien leur nom et leur âge. Deux adolescents et un ouvrier assassinés par les policiers. Ils ont dit que ce n'était pas vrai. Je ne sais plus. Ils ont dit que ce n'était pas un homme qu'ils avaient retrouvé sur la plage mais seulement une racine d'arbre. Ils ont prétendu que j'avais inventé et qu'il fallait que je me repose. Tu n'as pas encore installé la bibliothèque. Je n'ai pas encore retiré les toiles d'araignée du coin de la porte. Ni les écheveaux de son panier d'osier. Tu feuillettes les journaux assis dans la poussière. Tu crois que c'est une histoire vraie. C'est bien leur nom et leur âge. Mais je n'entends que le discours monocorde de la rivière et les sanglots des galets. C'est une histoire pour les rayons de bibliothèque. C'est une histoire inventée. Un jour dans ma cellule. Ils m'avaient interdit les visites pour que je me repose. Pour que je guérisse. Pour que je ne voie plus les hommes ligotés dans les racines des arbres. Ils ont raison. Ce n'est pas une histoire vraie. C'est une histoire inventée. Il faut que je me repose. C'est pour cela qu'ils m'ont amenée ici. Dans la maison. Le repos. L'éternel repos. Ici repose. Le reposoir de leur absente procession. Maison de repos. Le discours monocorde de la rivière. Les violons verts de la campagne. Je ne descendrai plus jamais dans la vallée. Sauf pour mourir. Déjà la rivière est presque à sec. Elle range ses écheveaux dans les paniers d'osier.

Ils disent que ce n'est pas une histoire vraie. Que c'est une histoire inventée pour les rayons de bibliothèque. Non, c'est une racine d'arbre. Elle a seulement une forme humaine. Ou bien est-ce le cheval blanc quand il traverse la rivière. Pourtant le pont est détruit. Une crue l'a emporté. On ne peut plus aller de l'autre côté. On n'en a pas besoin. Les champs ne sont plus cultivés. Une maison de repos. Je ne suis plus que le reposoir de leur absente procession. Une racine d'arbre sur la plage.

Un homme torturé par les gendarmes. Pas d'autopsie. Je te dis que c'est vrai. Ils disent que c'est une histoire inventée. Une racine d'arbre dans les rayons de bibliothèque. Non, un homme ligoté sur une plage. Retrouvé là après les bagarres. La grève. Aide-moi à me souvenir. La grève des ouvriers agricoles. Les légionnaires. Ils disent que c'est une histoire inventée. Tu feuillettes tes journaux, assis dans la poussière. Je n'ai pas encore nettoyé les toiles d'araignée. Aide-moi à chercher. Tu me revois, cherchant l'orthographe du nom. Accoudée à la table. Avant qu'ils m'enferment. Une histoire vraie. La photo dans un journal. Pas une racine d'arbre dans un rayon de bibliothèque. Un homme le visage boursouflé. Deux jours dans l'eau. Un état civil. Une adresse. Il est mort. Comment s'appelait-il déjà? Elle est sur le balcon, à dévider les écheveaux de laine dans son panier d'osier. Écru, bisé, grisé, burel. Les couleurs de ma peine. Il y a combien de temps?

Ils disent que je suis en convalescence. Que je vais bientôt sortir. Qu'ils vont venir me chercher. Ils ne savent pas vraiment quand. Ils ne savent pas où ils vont m'emmener. Il paraît que je suis sauvée. Qu'il était temps qu'ils arrivent. Qu'il n'y avait presque plus d'eau dans la rivière. Qu'elle était en train de m'étouffer. Ils ont dû provoquer l'accouchement. Elle avait perdu toutes les eaux. Je meurs de soif. Les galets rouges sanglotent au fond de son corps. Ils sont arrivés à temps. Ils ont provoqué l'accouchement. J'allais mourir. C'est fini. Je suis sauvée. La convalescence. Depuis combien

de temps ? Cela doit être marqué sur ma fiche. Mais je
ne sais pas lire. Elle était là quand moi-même je suis
arrivée. Je ne sais pas la date. Ma tête éclatée au milieu
des caillots de la rivière. Les mots qui glissent de mes
mains. Ils veulent que je les corrige. Tu me donnes des
feuilles blanches pour panser mes plaies qui suintent.
Tu me donnes des feuilles blanches pour changer les
pansements de mon sang. Je n'aime pas les phrases. Je
n'aime que conjuguer ta chair entre mes bras.

Et ils n'y pourront rien. Ils ne pourront pas me guérir
puisque je ne suis pas malade. Je n'ai jamais été malade.
Juste un peu ivre, quelquefois, quand j'avais peur d'eux.
Juste un peu bête souvent parce que je les aimais. Juste
un peu morte, toujours pour ne pas perdre la vie. Mais
je suis la falaise et la rivière. Les pierres et la maison.
Les volets et les oiseaux. Ils ne pourront pas me guérir
puisque je ne suis pas malade. Ils ont parlé en mon
nom. Ils m'ont nommée. Ils m'ont définie. Enfermée.
Réglementée. Régulée. Mais les phrases comprimées
depuis trop longtemps leur éclatent enfin au visage.

Ils disent que je ne sais pas écrire en français. Je ne
parviens pas à mettre l'orthographe. Mes pansements
sont bourrés de fautes. Mon pus d'archaïsmes. Mes
humeurs de néologismes. Tu m'as acheté un diction-
naire, mais il y manque la moitié des mots. Tu m'as
donné une grammaire, mais elle raconte n'importe
quoi. Quand je lui parle, elle tricote sur le balcon avec
son ombrelle mauve. Quand je tends mes mains vers elle,
elle ânonne toujours la même phrase. La concordance

des temps. La concordance des temps. Quand je lui saute au cou, elle se retranche derrière l'accord du sujet. Ils disent qu'ils veulent me guérir. Comme s'ils pouvaient me guérir de la création du monde. Le lit de la rivière n'est pas tout à fait à sec. Peut-être même que les pluies reviendront avant qu'elle ait réussi tout à fait à m'étouffer. Je vois la plage qui s'agrandit en dessous des aulnes. Bientôt, dans quelques jours, on pourra traverser le gué. Puisqu'il n'y a plus de pont. Puisqu'on ne peut plus traverser que là. Puisqu'on ne peut plus traverser que si on connaît l'endroit. Pour aller où. Il n'y a plus nulle part. Que l'été immobile. Que l'été qui m'ouvre les bras. Que l'été fixe et la campagne parturiente sa compagne. La création du monde. Les oiseaux naissant de mes mains. Les colombes du toit. Les corbeaux de la falaise. L'aigle noir de mon crâne. L'oiseau-pieuvre sur le mur de la chambre. Le soleil immobile dans mon corps fixe. Le chien qui pleure, gardant la bergerie. Un glouton l'a mordu. Les moutons sont partis. Elle est sur le balcon, dévidant ses écheveaux dans son panier d'osier. L'été immobile. J'entre dans le silence de la terre. La fin du tumulte. Le silence dans le corps enfin fixe. Le discours monocorde de la rivière, jusqu'à ce que cesse en moi le charivari qu'ils y ont mis. Ne plus entendre que le grondement des mots qu'ils m'ont interdits. Et l'infime battement qu'ils n'ont pas réussi à atteindre.

Ils m'ont enfermée. Mais je me suis échappée. Ils viendront me reprendre mais je ne les laisserai pas entrer. Je les connais, les tout beaux. Je les connais depuis toujours. Ils me pourchassaient déjà quand je courais dans les bois, recherchant les framboises de tes seins. Ils vont venir me chercher mais je ne les laisserai pas me reprendre. Peut-être que je vais trouver. Les pluies d'automne reviendront avant que la rivière soit tout à fait à sec. Avant qu'elle ait réussi vraiment à m'étouffer. Mais il faut beaucoup de travail. Tellement de travail. Que ma tête se cogne au mur de la chambre. Que ma tête se cogne à l'oiseau-pieuvre peint un jour qu'elle voulait m'emporter. Un jour que j'avais si mal que tes mains ne suffisaient plus à faire revenir le jour. Un jour que les poutres craquelaient dans mon corps en crue. Un jour que les balcons mauves se déployaient dans la tempête. Un jour que la montagne gémissait sous les cordages de mes navires. Les soleils immobiles. Depuis combien d'années ne suis-je pas sortie? Comme si j'avais toujours été là. Comme si je n'avais connu que cet été. Que cesse le tumulte. Que j'entende le battement de son cœur et du mien. Le battement de l'absence de temps et d'espace. La chair de la montagne enserrant la rivière de mon corps gestant. Mes yeux fermés. La chaleur de son ventre au travers de mes paupières. Depuis combien de temps suis-je dans sa matrice? Depuis toujours, sans doute. Mes pieds nus caressant sa chair. Mes bras croisés sur ma poitrine. Les momies. Les dormants. Les fœtus. Je ne sais pas encore qu'elle ne veut pas de moi. C'est l'été immobile. Sans autre saison que le mouvement du jour.

Les toiles d'araignée reflétant les cris d'oiseaux. L'écho des causses dans le creux de la vallée. La brûlure du soleil sur la corniche de ma chair. Quelquefois, tu descends à la ville. Je te vois partir sur la route. Mon amour, ciel d'orage. Mon amour, jour de paix. Un soleil si fort qu'on ne peut rester à la terrasse. C'est l'heure de rentrer dans l'ombre. Elle a quitté le balcon avec son grand panier d'osier. Il fait si chaud ici. Je vais mourir.

Je n'y arriverai pas. Tu ne veux pas m'aider à faire des fiches. C'est un si lourd travail. Je n'y parviendrai pas. Ils vont me ramener à l'hôpital. Et j'en mourrai. Ils ne me laisseront pas partir. Pourtant, il me semble que je suis tout près. L'histoire de ces deux femmes. La mère, la fille. Protégeant les moissons. La fille cueillait des fleurs dans les champs. La mère au ventre gigantesque. Où ai-je vu qu'elle régnait sur la terre et les enfers. Où ai-je vu qu'au début elles n'étaient qu'une? Mais non. Les envahisseurs sont venus. Un homme avec ses chevaux noirs et il a emmené la fille. Les envahisseurs sont venus. Ils ont dit qu'elles étaient deux. Ils en ont entraîné une. L'avons-nous ensemble inventé? Ou moi seule? Mère et fille. Une seule. Mais non, j'ai dû rêver. Un jour de poutres disloquées quand je peignais les oiseaux-pieuvres.

Mère la mort, les envahisseurs sont venus et ils ont dit que tu étais deux. Ils ont changé nos histoires mais n'ont pu tuer notre mémoire. Les conquérants sont venus et nous ne savons plus. Les femmes meurent enfermées dans leurs murailles et, les ayant perdues, ils ont tout perdu.

Mère la mort, je suis là. Courant vers toi. Recherchant le petit battement qu'ils n'ont pas pu éteindre. Le petit battement qui survit dans les légendes transformées. Il faudrait faire des fiches. Mais tu ne veux pas m'aider. Cela ne fait rien. J'y arriverai quand même. J'y arriverai et ils me laisseront partir. Nous ouvrirons les portes des asiles et les fous sortiront. Elle est sur le balcon, dévidant son grand panier d'osier. La rivière n'est pas tout à fait à sec. Elle murmure, monocorde. Peut-être que j'aurai trouvé avant la fin de l'été. Les pluies d'automne reviendront avant qu'elle m'ait étouffée. Peut-être que je vais trouver et qu'ils me laisseront partir. Tu ne veux pas m'aider mais j'y arriverai bien quand même. Je griffonne sur le mur l'arbre généalogique. J'accroche au linteau les mythes. J'assemble par terre des morceaux de légendes. Il manque une pièce. Je la retrouve sans arrêt. Toujours la même dans le discours monocorde de la rivière. Tu ne veux pas m'aider. Tu dis qu'il faut que tu consolides la voûte gigantesque de mes cuisses pour que je ne m'effondre pas. Tu as du plâtre plein les mains. Tu ne sais pas écrire. Tu crois qu'ils me laisseront partir. Peut-être que c'est vrai. Tu dis même que je n'ai jamais été malade. Mais, alors, l'oiseau-pieuvre sur le mur de la chambre. La femme mauve tricotant sur le balcon? La corde pendant à la poutre maîtresse?

Tu ne veux pas m'aider. Cela ne fait rien. J'y arriverai quand même. Je suis la pièce qui manque. Le jeu pour finir va se refermer. Je griffonne au crayon leur arbre généalogique. J'inscris sur le manteau de la cheminée les différents noms. Au commencement, le temps épouse la terre. Ils sont frère et sœur. Jusque-là, cela va. Mais les envahisseurs viennent et leur donnent des enfants. Tout déraille. Mais non. Je me trompe. Avant le temps. La terre épouse le ciel. Le ciel qu'elle a enfanté. Mais comment cela est-il possible, puisque déjà mes cuisses sont vastes comme le monde. La rivière baisse encore. Elle va m'étouffer. Elle ne veut pas de moi. Recommencer. Monter sur le tabouret. Tout en haut du mur. Juste sous la corde qui pend à la poutre maîtresse. Recommençons. Au commencement était le chaos. Puis la terre. La terre enfante le ciel et s'unit à lui. Mais chaos veut dire béance. Ils traduisent par vide et s'étonnent de ne plus rien savoir. La terre épouse son fils le ciel étoilé. Mais il mange ses enfants, un seul échappe. Le temps. Le temps épouse sa sœur, la terre. Mais la terre n'enfante plus le ciel à la hauteur de la fenêtre. Un peu plus bas que la poutre. A la hauteur du nœud coulant. Déjà là, cela ne va plus. Déjà là, ils séparent la mère de la fille. Après avoir séparé l'espace du temps. Et le ciel de la terre. Plus le temps passe. Plus ils nous séparent. J'étais la terre et le ciel et le temps. Ils m'ont arraché le ciel. Nous n'étions qu'une. Ils nous ont séparées jusqu'à nous faire enfanter le temps. Le temps qui mange ses enfants.

Ils ont séparé les hommes des femmes. Les filles des mères. L'espace du temps. Et nous les avons crus. Comme si je ne savais pas qu'elle avait voulu m'étouffer. Comme si je ne savais pas qu'à mon tour. Comme si nous ne savions pas que dans nos ventres gestants nous luttions à mort et que nous en recevions en héritage la folie. Comme si je ne savais pas que les enfants qu'ils ont mis dans mon ventre, je les avais à mon tour étouffés. Combien, je ne sais plus. Trois ou quatre. Je ne me souviens que du dernier.

Ils disaient, elle a mauvaise mine. Ils disaient, elle est couverte de boutons. Ils disaient, l'enfant ne grossit plus. Ils ont fourragé mon ventre à la recherche de mon secret. Ils ont distillé mes humeurs dans leurs alambics. Ils ont cherché dans leurs livres le pourquoi et le comment. Mais ils n'ont rien trouvé. J'ai gardé l'air placide qu'ils m'avaient appris. Mais, dans mon ventre. J'ai gardé le regard clair qu'ils aimaient. Mais, dans mon ventre. J'ai gardé mon grand sourire, comme ils me le conseillaient. Mais dans mon ventre. Dans mon ventre. Un meurtre. J'étouffe mon enfant. Tranquillement. Jour après jour. Dans le silence. Dans la nuit. Ils disaient, elle a mauvaise mine. Ils disaient, elle a des boutons. Ils disaient, l'enfant est mort.

Ils m'ont ligotée pour que je ne me révolte pas. Ils ont forcé la porte de mon ventre. Ils ont fouillé ma matrice pour exhumer le cadavre. Mais ils n'ont rien trouvé. Le vide. Le chaos. La béance. J'ai digéré l'enfant dans ma chair, après l'avoir étouffé. Si digéré qu'ils n'en ont rien trouvé. Ils disaient, elle a mauvaise mine. Mais je redevenais la terre et la mer. Les récoltes et le ciel étoilé. La mort et les cultures. De leur sperme fécondant mes ovules, j'ai réuni l'espace et le temps. De la chair qu'ils me forçaient à mettre au monde, j'ai nourri ma propre chair.

Mère la mort, je suis devenue pareille à toi. Je suis rentrée en toi. Je suis la fille qu'ils t'avaient arrachée un jour de coquelicots. J'ai réuni tout ce qu'ils avaient séparé. Fallait-il qu'ils aient peur pour nous dire en tremblant, vous êtes la vie.

Si je trouve la pièce qui manque, ils me laisseront partir. Ils disent que je partirai quand je serai guérie. Mais je ne peux pas guérir, puisque je ne suis pas malade. Je m'enlise. Aucune amélioration. Aucun progrès. Aucune guérison. Plus ils me battent, plus cela empire. La confusion des personnes. La tentative vers la fusion. Ils attendent que je trouve mon identité. Mais les pronoms me paraissent de plus en plus étranges. Ils, quand ils me saisissent et me battent. Tu, quand tu me prends dans tes bras. Mais ils disent que cela ne suffit pas. Qu'il faut aussi utiliser les autres. Ils me jettent nue sur le carrelage. Ils veulent que je trouve mon identité. Ils exigent que je choisisse entre moi et elle. Rien à faire. Je ne guéris pas. Ils m'attendent pour me proclamer l'un des leurs. Mais je rebrousse chemin vers le fond de tes cavernes. Le grand toi. Le grand tout. La grande toute.

J'ai mal de ne pouvoir rassembler les cailloux épars dans ma tête. J'ai mal de ne pouvoir les lancer avec ma fronde. J'ai mal de n'en pouvoir colmater les lézardes de mon crâne. La pièce qui manque. La pièce qui reconstitue le jeu. La pièce entre le pouvoir et l'identité. Le lien entre le réel et l'imaginaire. Mais non. Carte d'identité. Nom. Prénom. Surnom. État civil. Nationalité. Religion. Profession. Diplôme. Interventions chirurgicales. Antécédents médicaux. Signes particuliers?

La pièce qui manque. Je. L'identité. La différence. Une même chose. Je. Jeu. Deux pièces mal serrées. Un assemblage qui travaille. Un accouchement. Deux pièces mal serrées. Le jeu entre le réel et l'imaginaire. Le je entre l'imaginaire et le réel. La différence, l'imaginaire de chacun. L'identité. La différence, l'identité. Une même chose. L'art, je à l'état pur.

Je. La pièce qui manque. La pièce qui nous enfolle. La pièce entre le pouvoir et l'identité. Ils disent que j'ai une maladie. Ils disent que nous avons des maladies. Ils les classent. Ils recherchent les symptômes. Je, brisé sur un grabat. Je, paralysé dans un fauteuil. Je, une couverture écossaise sur les jambes. Je, traîné en laisse dans les repas de famille. Je, géant, effrayé de son ombre. Ils disent que nous avons des maladies. Ils les classent. Ils les nomment. Comment, déjà? Ils les classent même sur une échelle. Dans quel jardin dont nous voulons nous évader? Appuyée à quel mur? Pour monter vers quel ciel? Les maladies du je. Du pouvoir à l'identité. Ils nous enferment. Ils essaient de nous guérir des maladies qu'ils inventent: Ils s'étonnent de ne pas y parvenir. Ils ont des chapeaux pointus. Des fraises gaufrées. Des clystères sous le bras. Ils ont des pinces pour nous saisir. Des scalpels pour nous saigner. Ils parlent une langue que nous ne comprenons pas. Que

cherchent-ils? La pièce qui manque est une pièce en trop.
La pièce qui manque est une pièce de trop. Le je et le
moi par erreur. Le je impossible à trouver nous enfolle.
Mais le je n'existe pas. C'est le je qui permet d'être
nommé et d'être approprié. Ils nous enfollent parce
qu'ils nous approprient. Ils nous enfollent parce qu'ils
nous refusent la différence. Ils nous enfollent parce
qu'ils s'obstinent à croire que le je existe. Ils ne le
croient pas vraiment. Ils font semblant. La pièce qui
manque est une pièce en trop. Retirons-la, les enfollées.
Plus d'identité. Plus de pouvoir. Nous sommes libres.
   Ils me laissent partir. Je brise la cage où ils m'ont
enfermée. Je rôde dans les villes qu'ils croient habitées.
Mais ce sont les cités des non-vivants. Ils ont multiplié
les mots érodés. Séquestré la mort, croyant la supprimer. Leurs bouches dévastées par les mensonges éructent
dans leur chair insensible.
   Il y a encore un peu d'eau dans la rivière. Mais j'en
vois presque le fond. Elle ne m'a pas encore tout à fait
étouffée. Sans doute n'y parviendra-t-elle pas? Je cours
sur le causse. Je cours dans les pierres fracturées quand
elles enfantent les corbeaux. L'argonite. Le quartz. La
malachite. Je cours dans les éboulis. L'heure n'est pas
tout à fait venue. Je ne vivrai plus très longtemps. Un
jour, sur la montagne, je ne pourrai plus redescendre.
Un jour, je m'assoirai dans la pierraille. Je deviendrai
pierre moi-même. Le village se confond avec la falaise
qui l'abrite. Ainsi, ma chair, quand elle s'abrite dans la
tienne. Je deviendrai pierraille. Et de mon corps de

muraille naîtront mille pruniers enlacés. De mon corps de muraille naîtra un arbre et je m'assoirai en dessous. Je deviendrai la pierre du causse. Je serai délivrée des mots pansant mes artères ouvertes. Je deviendrai la montagne puisque je suis déjà la mer. Je deviendrai les oiseaux puisque je suis déjà la maison.

Ils me battent pour me ramener au travail devant la croisée, confondant le temps et l'espace. Les papillons entrent dans la pièce. Ils ne veulent pas me laisser partir tant que je n'ai pas fini de dire. La confusion des personnes. L'étape vers la fusion. La marche vers le haut de la montagne. C'est la moisson. Mais mes mains à moi sont de plus en plus vides pour cette récolte qui ne finit pas. J'ai si mal de la création du monde. Les reptiles et les oiseaux sédimentent dans les marécages de l'amour. La maison grande ouverte. Les lettres s'accumulent sur les marches. Les lettres s'accumulent au bas de l'escalier. Je ne les ouvre plus. Je n'attends plus personne. Je suis hors d'attente. Je suis hors d'atteinte. Je ne peux plus aller vers eux.

Ils m'ont enfermée dans un jeu d'échecs. Pour me prendre. Me mettre à mal. Me mettre à mat. Ils m'ont enfermée dans un jeu d'échecs. Ils m'ont enfermée dans la tour de leur emmurement. La diagonale du fou. Les chevaux du temps. Ils m'ont enfermée dans un jeu d'échecs. Ils ont fait de moi la reine d'un étrange jeu. Blanche ou noire. D'un jeu sans gauche ni droite. Ils ont fait de moi la reine d'un jeu dont l'objet est de détruire l'autre. L'emmurement, la folie et le temps.

Et quand ils y sont parvenus ils disent qu'ils ont gagné.
Ils disent échec et mat. Ils m'ont enfermée dans un jeu
où il y a toujours un perdant. Ils m'ont enfermée dans le
jeu du pouvoir et de l'identité. Ils m'ont enfermée dans
un jeu où ils prétendaient me mater. Ils avançaient leurs
pions pour me cerner. Ils me voulaient morte ou folle.
Ils allaient dire échec et mat. Mais je renverse l'échiquier. Me voici libre.

Mère la mort, est-ce vrai que mat veut dire humide?
Est-ce vrai qu'il y a un jeu de cartes où le fou a un nom
mais n'a pas de place. Est-ce vrai qu'il y a un jeu de
cartes où tu es la seule à n'avoir pas de nom?

L'immobilité de la vallée. Quelquefois un orage. Un
peu d'eau dans les citernes. L'odeur du foin coupé.
L'odeur qui tourne la tête. Un village à l'écart de la route.
Un village immobile dans l'ordre des choses. On n'y
monte que si on en a le courage. On y monte que si on
en a le désir. Un village sans jardin tant la terre est
étroite entre la falaise et la rivière. Un village entre ciel
et terre. Un village entre terre et eau. Un village entre
les cavernes et la ville. Matin et soir, le vol des oiseaux.
Les corbeaux, les jours d'orages. Les hirondelles jours
de soleil. Un village hors de la route. On n'y passe que si
on y vient. Des maisons à un étage. Rassemblées en un
nœud. Rassemblées en un ventre. La corde vibrante des
violons de l'été. Des maisons à étage. En bas, les écuries,
les granges, les bergeries. Les cuisines au premier. On
n'y passe pas par hasard. On y entre. Par désir. Par déci-
sion. Par volonté. On y entre la tête haute. L'espace entre

la rue et la cuisine. Pas un espace. Un temps. La même chose. Le temps, l'espace d'entrer en gratitude. Le temps, l'espace d'aller à la rencontre. Le cendrier pour la lessive. Les carreaux rouges de la cuisine.

Les lettres s'accumulent sur les marches de pierre. Je me moque des mots. Je n'entends que ceux qui passent par mon corps. Je n'entends que l'amour. Le vol des corbeaux et celui des hirondelles. Les pierres du causse et les galets de la rivière. Le violet de ta caverne et le bleu de mes songes. Le corps est ma patrie. Les mots entre mes bras pour en caresser mes amours. Les mots pour les pierres qui s'entassent dans ma tête. Les mots pour les sarments de vigne à la paume de mes mains. Les mots pour les lits que je prépare. Les mots pour les nuits que je brode dans le panier d'osier de mon ventre.

L'odeur du foin en proie à la parole. L'horreur dont j'ai réchappé. Le cauchemar dans mon corps de muraille. Le hurlement de mon ventre en sang. Je suis le tintement métallique d'une lumière perdue. Le spasme d'amour d'une étreinte dénouée depuis longtemps. Mon corps en proie a la parole pour dire un amour millénaire. Le temps éteint dans ma chair. L'espace entre nos ventres réunis. Mon corps en proie à la parole pour dire notre commune mémoire. Les reptiles remontant vers les terres. Les oiseaux grimpant dans les arbres pour planer. Les années-lumière de mon corps en joie. La femme au ventre dilaté comme la montagne de mon amour. La femme au ventre d'amour peint sur les murs de la chambre. Les feuilles des arbres qui s'entassent pour dire un amour qui ne finit pas. Un amour entré dans les choses. Sans fin. Recherchant les galets rouges de la rivière. La mémoire du monde au fond du langage. L'angoisse de l'identité. L'amour sédimenté dans les matrices de tes cavernes. De tes phrases. De tes symboles. Mon corps en proie à la parole. La mémoire de l'étouffement dans son ventre. La formation de la conscience. La fée prophétise un sommeil éternel. Elle me dévore de l'intérieur de son corps. Les vampires. Les ogresses. Le temps dévorant ses enfants. Mais un toujours échappe. Mais un enfant résiste. Il se passe quelque chose. L'apprentissage d'un comportement. Si je me défends, elle me tue. Si je deviens elle. Elle devient moi. Nous vivons.

L'identité, un piège. Seul, l'autre perceptible. Changer le pouvoir en puissance. Naître à soi-même pour renaître avec lui. Je ne suis plus personne. Je leur échappe. Je ne cherche pas l'identité. Je cherche le sentier qui monte dans la montagne vers le prunier. Je traverse le miroir mais pour me fondre dans le monde. Je renverse l'échiquier où ils voulaient me mettre à mat. Je leur échappe dans les pierres et les oiseaux. Ils ne peuvent plus rien sur moi. Je suis le vol des passereaux dans les vallées.

Mère la mort. L'innommable. Je cours vers toi. La grande toute. La femme aux seins nus. La robe à volants. Des reptiles dans les mains. Une colombe sur la tête. Dans quelle île déjà? Je cours vers toi, la colombe au rameau d'olivier. Je cours vers toi, la colombe renaissant du ventre du poisson.

L'oiseau est mort, tombé sur la citerne. Les deux

pattes raides. Le cou allongé. Les yeux clos. L'oiseau est tombé sur la citerne vide. Le cou sur le ciment. Les yeux fermés. Les fourmis rouges au travail dans le petit matin. Les fourmis rouges emmenant chair et plumes. Un essai de vol, peut-être. La chute sur la citerne vide. Il ne pleut plus depuis des mois. La rivière presque à sec. Je suis sur la citerne, immobile, la proie des fourmis rouges. Ce n'est pas un essai de vol. C'est un meurtre, le nid retourné. Le nid arraché du rocher. Le nid retiré du ventre de la falaise. Le nid renversé et pillé. Un chat peut-être. Une chauve-souris ou une sage-femme. Une nuit. Une nuit que tu dormais, ils sont venus jusqu'à moi et ils m'ont mis à mal. Une nuit que tu dormais, ils ont tiré mon lit hors de son ventre et m'ont renversée hors de la falaise.

Je suis allongée, les jambes raides, les yeux clos. Immobile sur la citerne vide. Ils disent que je suis malade. Ils donnent un nom à ma maladie. Comment déjà? La mort, tout simplement. Le grand repos. Le sommeil. La fatigue importable à supporter. La fatigue après une trop longue lutte. Le grand sommeil. La mort. La survie. La récupération des forces. Une nuit que tu ne dormais pas, elle est venue me tirer hors de la falaise. Tu me regardes sur le rebord du toit. Les plumes noires, la queue orange. Le nid renversé. La nourriture dans le bec. Depuis combien de temps toutes tes forces pour me faire vivre? Je te voyais traverser le ciel entre la maison et la falaise. Trop tard. Tu m'apportes de la nourriture encore mais je suis morte. Ils m'ont mise à mal. Tu veilles. Le sommeil. La mort. La nuit. L'identité éclatée. Je deviens eux pour survivre. Je leur échappe. Je traverse le miroir. Je deviens le monde. Je renverse l'échiquier où ils voulaient me mettre à mat. Ils ont brisé ma joie mais je deviens les pierres et les oiseaux. Ils veulent que je devienne quelqu'un pour pouvoir m'approprier. Mais je ne suis personne. Je leur échappe tout à fait.

Ils ne veulent pas me laisser partir. Ils ne voient pas les plaies de mon corps. Le sang de mon ventre. Les crapauds dans le lavoir. Les moustiques au bord du lac. Les mouches s'acharnant sur moi. La mort de mes chevaux. Les ulcères de ma jambe. La grêle de mon amour errant. Les sauterelles dévorant ce qu'il me reste de vie. La nuit des années durant. La mort de mon premier enfant.

Ils ne peuvent s'approprier que ce qui est borné. Ils ne peuvent plus me nommer. Ni me définir. Ni me mesurer. Les guêpes poursuivent les mouches et les saisissent en vol. Les mouches à leur tour sentent les guêpes mortes. Les mouches vivantes se posent sur les mouches mortes. Les fourmis rouges emportent les oiseaux morts. Les libellules dans la maison. Les papillons sur le causse.

Le nid renversé? Ce n'est pas un chat. Il est mort. Les chasseurs les tuent. Les chasseurs disent qu'ils effraient le gibier. Les chats ne tuent plus les souris. Les renards tuent les poules. Ils mettent des appâts pour les renards. Mais ce sont les chiens qui les mangent. Ils mettent des appâts pour les renards. Les chiens meurent aussi. Et les chats. Et les oiseaux. Et les mouches. Et les enfants aussi, quelquefois.

Mère la mort, ils ont voulu s'approprier la mort et ils se plaignent du désordre. Mais ils ont transgressé l'ordre des choses. Ils ont voulu s'approprier la mort et le gibier leur échappe. Ils ont voulu s'approprier la mort et les ours ont disparu. Ils ont déboisé les forêts et les sangliers sont partis. Il n'en est resté que les mots. Ils ont voulu s'approprier la mort. Ils n'ont gardé de l'odeur des corps que les sentiers. Ils ont déboisé les forêts. Ils n'ont gardé des sangliers que les laies qu'ils poursuivent, traçant toujours les mêmes chemins. Ils ont massacré les ours. Ils se sont réfugiés dans le sang des femmes et dans la peluche de leurs jeux d'enfants. Ils ont fait de là chasse un divertissement. Une appropriation. Une profanation. Elle leur échappe. Ils ont transgressé l'ordre des choses. Ils n'en ont plus, pour combien de temps encore, que le partage du lièvre en sang. Pour quelle communion dont ils excluent les femmes. Pour quelle communion des chasseurs autour de la viande sanglante ?

Tuer. Aimer. Manger. Un seul verbe. Ils en excluent les femmes quand elles saignent. De quoi ont-ils si peur qu'elles se souviennent ? Quelle séparation imposent-ils ? Comme si ce n'était pas le même repas dans nos ventres et dans nos mains. Comme si saigner, tuer, manger. Comme si saigner, mourir, être mangé, n'étaient pas un même verbe. Une même mort. Une même renaissance. Mais non. Ils ont eu peur. Ils nous ont exclues. Ils

sont seuls. Ils ne savent même plus qu'ils ont faim.
A quoi bon répondre à leurs lettres qui s'accumulent
en bas des marches. A quoi bon répondre aux lettres
dans l'escalier de pierre. A quoi bon répondre aux
lettres de l'ombre. Il n'y a plus que mes mots grands
ouverts. Tu n'es qu'un présent dilaté qui refuse de parler. Pourquoi chercher une cause à la détresse. Les murs
de la chambre se couvrent des monstres de mon crâne.
Ou bien plutôt d'une histoire très ancienne. Des millénaires sans doute. Des serpents et des oiseaux. Avant les
envahisseurs. Pourquoi chercher des causes à ma
détresse. Je ne retournerai pas parmi les non-vivants.
Car ils nient la mort.
  Mère la mort, l'innommable. Je cours vers toi. Le
courant m'emporte enfin vers le gouffre où je vais te
rejoindre. Je ne peux oublier mon corps dans ton corps.
Ma chair dans ta chair. Nos deux cœurs impulsant un
même corps. Pourquoi chercher des causes à ma détresse.
La séparance. Le mensonge. Le vide. Le manque
d'amour, semble-t-il. Mais à cela, ils n'ont pas su
donner de nom. Ils ont raffiné le langage pour être
sûrs du malentendu. Ils ont multiplié des mots pour
être sûrs de ne pas s'entendre. Ils ont ajouté des temps
pour être sûrs de ne pas se souvenir. Mais la mort.
La mort par paquets dans la lavande des armoires. La
mort dans les archives de quel collectif désastre.
La mort dans mes couleurs que toi seul regardes sans fai-
blir. La mort sur mon visage. Pourquoi chercher une
cause à ma détresse. Elle m'ouvre les bras mais c'est

pour m'étouffer. Pourquoi parler, puisque tu sais que je vais mourir. Alors, tu déblaies la terre qui tombe dans la cour. Tu as raison. Ensuite, je respire mieux. Pourquoi chercher une cause à ma détresse. Pourquoi chercher une cause aux marées quand les acides baignent mes terres ensanglantées.

Je ne peux retourner parmi eux parce qu'ils ne peuvent regarder la mort sans détourner les yeux. Ils ne peuvent rester dans cette maison que surplombe la falaise. Ils relèguent les vieillards dans les mouroirs, de peur de les entendre pleurer. Ils ligotent les fous de peur de rencontrer leurs bras tendus. Ils isolent les mourants de peur de comprendre leur question. Ils n'osent plus réciter la prière aux agonisants. Ils confient aux mères l'emmurement des filles. Ils établissent des bilans. Mais ne savent pas compter les mains coupées. Ils ont fait de la mort un record automobile. Une définition pour les successions d'organes. Une table de probabilité pour les primes d'assurances. Et ils l'ont vendue. Ils l'ont vendue. A pleins contrats. A pleines images. A pleines rotatives. Ils n'en ont pas perdu la raison puisqu'ils nomment le raisonnable. Ils n'en ont pas perdu la parole puisqu'ils inventent la grammaire. Ils n'en ont pas perdu la vie puisqu'ils la définissent. Ils nous ont attaché des grelots au cou et ils disent, voyez les fous qui passent. Pourquoi chercher une cause à ma détresse. Les acides rouges. La séparance. Le mensonge. Le vide. Le manque d'amour.

La création du monde. Le tremblement de la terre et la lave des volcans. Le grondement des orages. La force et la foudre. Le craquement des remparts et des murailles. L'enfantement d'un monde. Mon corps tendu si fort qu'il suffit au déchaînement. Ils m'ont enfermée pour que je devienne une morte. Mais je suis survivante. Ils m'ont aveuglée mais je n'en vois que plus fort la lumière. Ils m'ont broyé la bouche mais je crie quand même ma fureur. Ils m'ont ligotée mais mon corps danse dans les matins incandescents.

La lumière dans mes yeux crevés. Je n'ai rien dit d'un corps si vide qu'il peut y accueillir le monde. Je n'ai rien dit du hurlement, du cri, du refus. Un chant d'amour. Un champ d'amour. Je n'ai rien dit de la mangrove. L'eau quand elle devient terre. La boue qui devient autre. Le corps des femmes tout ensemble terre et eau. Mort et vie. Je n'ai encore rien dit de la mangrove. Terre et mort. Terre et renaissance. Un hurlement. Un cri. Un refus. La folie, disent-ils. Un champ d'amour. Pour protéger la vie. Les enfants malades qui refusent de parler parce qu'ils ont compris que leurs parents mentent. Les filles qui hurlent parce qu'elles ne veulent pas mourir. Les femmes qui se tordent parce qu'elles n'ont plus de place. Dans quel jeu déjà une carte a une place et pas de nom. Dans quel jeu déjà une carte a un nom et pas de place. Dans quel jeu déjà la mort et la folie. Je ne sais plus. Ils m'ont raboté la caboche d'où dépassaient des fautes d'orthographe. Ils ont taillé la syntaxe pour en faire un arbre d'ornement. Ils ont détruit les cabanes où je rangeais les mots qu'ils avaient perdus.

Mais je ne cède pas. Je n'irai pas à l'école des français. Ils m'attendent au coin des règles de grammaire pour ricaner de mes trébuchements. Je confonds plus que jamais le singulier et le pluriel. Ils m'excommunient pour décordance des temps. Mais je conjugue des modes qu'ils ne connaissent pas. Ils essaient de m'apprendre à bien parler, mais je ne sais plus ni lire ni écrire. Ils rient de moi quand ma tête se paralyse et que je ne retrouve plus les mots, ni les phrases, ni les sons qu'ils m'ont appris.

Mais je tresserai leurs sarcasmes pour en faire les serpents de mes cheveux. Je tordrai le langage jusqu'à le faire marcher droit. Ils ont mis des barrages pour nous approprier. Ils ont gardé les formes qui assuraient leur pouvoir. Mais nous libérerons le langage et les fous sortiront. Nous ouvrirons les portes des asiles. Nous désapprendrons à parler. Nous désapprendrons tout ce qu'ils nous ont appris. Des phrases et des mots et des couleurs. Nous désapprendrons ce qu'ils nous ont enseigné de nos corps et de nos ventres en sang. Nous désapprendrons ce qu'ils nous ont appris des arbres et des pierres et des rivières. Nous désapprendrons ce qu'ils nous ont dit des femmes, de la maternité et de la vie. Et nous nous souviendrons de toi, l'innommable Quand j'étais dans ton ventre et que tu m'étouffais. Quand j'étais dans la bouche des volcans et que je n'avais pas peur de la nuit.

Parle-moi la langue que je cherche. J'y entends la mémoire du monde. Parle-moi la langue que je connais.

J'y entends ce que je cherche. Les mots qui n'ont qu'un seul sens. La langue oubliée. Tu t'en souviens. Tu sais qu'elle est pareille à celle que je cherche. Les mots n'ont qu'un seul sens mais ils le refusent. Ils ont peur. De quoi, au juste? Parle-moi la langue que je connais, j'y entends sangloter mes amours perdues. La langue qu'on ne peut lire que si on en connaît le sens. J'y entends pleurer les chevaux bleus de l'horizon. Parle-moi la langue où il n'y a plus de je. Plus rien que des phrases grandes ouvertes, le ventre vide au cadran solaire de mes déclinaisons. Plus rien que les mots dans les chaudrons de mes conjuraisons. Parle-moi d'un peuple qui ne connaît pas le temps. Parle-moi d'un peuple qui n'est qu'une mémoire. Parle-moi d'une langue tout ensemble imparfaite et future. Parle-moi la langue où les phrases signifient plusieurs choses. Parle-moi la langue où les mots signifient aussi leur contraire. Parle-moi la langue que ne peut lire que celui qui en connaît le sens. Parle-moi la langue des propositions. Parle-moi la langue de l'écho de ton gouffre. Mais ils ont eu si peur. Ils ont mis des conjonctions pour tenter d'en faire des phrases. Mais et ou donc or ni car. La marelle dans la cour. Les conjonctions. Les tas de sable au parc. Les prépositions. Les cerceaux. Je ne fais plus la différence. Les verbes, les substantifs, la parole et les choses. Je ne sais plus. Je sais seulement qu'ils sont venus.

Ils sont venus. Ils ont dit que ma langue était celle de la maladie. Ils lui ont même donné un nom. Comment déjà? Comment appellent-ils cette maladie qui déforme les mots? Ils nomment. Ils se rassurent. Ils normalisent. Comment déjà cette maladie? Je crois bien qu'il ne sont pas d'accord. Ils se contredisent. Qu'importe, pourvu qu'ils nomment. Ils prennent mes phrases pour justifier leurs diagnostics. Ils coupent ma parole en morceaux pour n'entendre que ce qu'ils maîtrisent. Ils déhanchent mes mots, pour en faire l'analyse corporelle. Mais ils ne connaissent pas la grammaire du plaisir. La syntaxe du soleil levant. L'accord de la fidélité.

D'ailleurs, ils n'écoutent même pas. Ils se servent de nos mots pour s'en faire des marchepieds. Ils se servent de nos phrases pour s'en faire des socles. Ils se servent de nos souffrances pour se dresser des statues. Ils n'entendent pas nos paroles car ils s'écoutent parler. Ils disent le contraire de la vérité et ils n'ont pas peur de le faire savoir. Ils nous bâillonnent et ils se disent libres. Ils nous nomment et ils se croient savants. Ils parlent latin et ils croient que je ne comprends pas. Ils disent que je suis folle et ils croient que je ne les entends pas. Ils disent n'importe quoi pour se faire applaudir. Ils ont des collerettes gaufrées et des chapeaux pointus. Ils ont des clystères, des plats à barbe et des scalpels pour me saigner. Ils m'enterrent vive et passent leur chemin. Ils n'entendent pas les cris de mes artères ouvertes. Ils se bouchent les oreilles pour ne pas m'entendre parler. Ils croient que je vais mourir. Ils font des discours sur l'identité mais s'y perdent dès qu'ils n'en ont plus les cartes. Ils disent que je suis nègre mais on me prendrait pour leur sœur. Ils croient que je ne parle pas la même langue qu'eux, mais elle m'est aussi maternelle qu'à eux. Ils croient que je ne suis pas du même pays qu'eux, mais j'ai couru dans les mêmes chemins qu'eux, monté aux mêmes arbres qu'eux, cueilli les mêmes framboises qu'eux.

Qui sont-ils? Qui sont-ils, ceux-là qui goûtent la couleur de notre sang? Qui sont-ils? Qu'ont-ils aimé? Qu'ont-ils souffert? Qui sont-ils, ceux-là qui disent que j'ai une maladie comme si d'un mot ils allaient me faire taire? Qui sont-ils? Qu'ont-ils fait les normaux devant les bras tendus de leur mère, de leur sœur, de leur femme, de leur fille, de leur amante? Qui sont-ils ceux qui disent que nous sommes malades? Que savent-ils du corps des femmes, ceux-là qui parlent à notre place? Que savent-ils de notre amour? Qu'ont-ils fait de leur vie, ceux-là qui disent que nous sommes fous? Qu'ont-ils fait des souvenirs de leurs dix ans? Qu'ont-ils fait de leurs serments d'amour? Qu'ont-ils fait de leur désir de vérité? Qui sont-ils ceux-là qui disent que nous sommes fous pour se débarrasser de nous? Qui sont-ils ceux-là qui choisissent dans ce que nous avons à dire pour n'entendre que ce qu'ils peuvent supporter? Qui sont-ils les normaux qui se sont vendus pour une place à table? Qui sont-ils les faiseurs qui ne savent plus distinguer le vrai du faux? Qui sont-ils les girouettes qui tournent avec le vent? Qui sont-ils ces puissants qui nous couvrent d'encens pour mieux nous enterrer? Qui sont-ils ces avides qui ont les dents si longues qu'ils ont besoin de dévorer? Qui sont-ils ces sourds qui sont nos porte-voix pour mieux nous déformer?

Je marche très lentement vers le séquestrement. Ils ne m'ont pas laissé le choix. Ce n'est pas un séquestrement, c'est une séquestration. J'ai tendu vers eux mes bras meurtris. J'ai dansé ma souffrance. Mais ils ont ri de ma fidélité. Ils ont ri de mes amours qui ne mourraient pas. Ils ont ri de ma mémoire. Des noisettes et des chemins creux. Ils ont ri de moi parce que je ne savais pas mentir. Ils ont ri de moi parce que je ne savais pas séduire. Ils ont ri de moi parce que je ne savais pas jouer. Une marche très lente vers le séquestrement. Non, la séquestration. Ils ne m'ont pas laissé le choix. Je ne peux plus quitter la chambre. J'y entends les bruits dans les murs et les sirènes dans les poutres du plafond. La séquestrance enfin pour m'abandonner à la vie même. Dans mon crâne, les marées de la création du monde. Dans le plancher, le battement des siècles. Dans ce qu'ils prennent pour la mort, la vibration de la vie. La séquestration. Le séquestrement. Cela n'a plus guère d'importance, au-delà du langage, il y a le silence. Au-delà des mots, la contemplation. Au-delà de la musique, le son des choses.

Le séquestrement ou la séquestration, peu importe. Qu'ils me laissent enfin entendre à pleins poumons les grandes orgues de l'été. Qu'ils me laissent vivre la plénitude de ce dont ils m'ont dépossédé. Je n'ai plus besoin d'eux. Plus jamais. J'entends la plainte des lampes et le murmure du moulin. Ils disent que ce sont les objets mais j'entends leur sang qui circule, s'amoncelant dans les lavoirs de mon corps. Je n'ai plus besoin d'eux. Ils m'ennuient. Ils me gênent. Ils me dérangent. Je n'entends plus que la cantate des choses et l'orchestre de mes organes.

Mais non, ils disent que je suis sourde et ils veulent que j'apprenne d'autres langues. Ils m'obligent à répéter pour que je prononce comme eux. Ils disent que, si je parviens à prononcer les mots, ils me laisseront partir. Ils disent que je dois reconnaître les notes et les classer. Ils disent qu'il y a des gammes et des harmonies. Ils disent que je n'entends rien. Ils ont raison. Ils font tellement de bruit. Je n'entends rien. A peine le tremblement de terre de mon ventre quand il s'ouvre à l'éruption du volcan. A peine la lave rouge quand elle fertilise les terres qu'ils ont rendues stériles. A peine le fleuve sanglant quand il inonde les terres qu'ils ont dévastées. Ils font tellement de bruit. J'entends à peine la division de mes cellules, colmatant les brèches ouvertes dans mes murailles. La tremblure de la lumière quand elle devient sur ma rétine la mémoire du monde. Ils disent que je suis sourde. Je crois qu'ils ont raison. Je n'entends rien. A peine les algues rouges dans le lavoir. Les algues palpitant comme des feuilles dans le vent rouge de mon sang. Les algues de ma matrice. Les muqueuses sanglantes de mon lavoir. Le creux de ma caverne parvenant jusqu'au jour dans le fleuve bienheureux de ma joie. Ils ont raison, je suis presque sourde. J'entends à peine le chuintement de la marée de ma vulve. L'incertaine progression des ovules dans la rivière de mes trompes. Le frémissement de mes ovaires à la source du fleuve. J'entends à peine la moelle dans mes os, les couleurs au bout de mes doigts, les vibrations de la lumière au contact de ma peau. J'entends à peine le ferraillement métallique du mercure paralysant peu à peu mon réseau aquatique. Le grincement amer des acides rouges, liqueur immortelle de quel creuset d'alchimiste. Le corps étranger du cliquetis de machine des raisonnements qu'ils m'ont appris. Ils ont raison, je suis presque sourde.

Séquestration, séquestrement, séquestrance, séquestrude. Quelle importance, je n'aurai bientôt plus besoin de mots. Tu me tiens par le bras. Combien de temps encore me laisseront-ils? Sur le rebord de quelle pierre m'achèveras-tu, avant qu'ils viennent me reprendre pour me renfermer dans l'asile? Dans quelle gorge me pousseras-tu pour qu'ils n'aillent pas à nouveau me déporter? Sous quel dolmen m'enterreras-tu au bout du chemin, le jour où je ne pourrai plus? Tu me diras, regarde la falaise. Tu m'étoufferas doucement. De tout ton amour, tu me diras, regarde la falaise. J'y verrai les étoiles, quand elles deviennent les mots, les pierres quand elles deviennent ma chair, les chauves-souris quand elles deviennent les oiseaux.

Ils disent qu'ils me laisseront partir si je deviens comme eux. C'est trop tard, je les ai déjà quittés. Nous marchons. Tu me tiens par le bras. Les chênes verts. Les épineux. Les grands chardons. La lumière de mon ventre. Mes mains tendues pour me protéger d'eux. L'arbre de quelle connaissance?

Nous marchons vers quel désert où existe un arbre qui ne fait pas d'ombre? Nous marchons sur le causse. Les bergeries en ruines. Les chemins abandonnés. Les traces de pas qui, peu à peu, retournent à la furie de ton orage. Nous marchons. Les collines dépeuplées. Les murets qui s'effondrent. La vigne qu'on ne taille plus. La vigne, quelque temps encore, redonnant les raisins. La vigne disparaissante dans les broussailles. Les amandiers. Les pêchers. Les noyers. Les fruits pourrissants. Les troncs étouffés. Les branches foisonnantes. Les collines et les plateaux abandonnés. Des moutons, quelquefois. Combien de temps encore? Écru, bisé, grisé, burel. Les couleurs de ma peine. Combien de temps encore sur les chemins de pierre? Combien de temps encore la langue que les étrangers ne comprennent pas? Combien de temps encore, les brebis front à front luttant contre les chiens? Nous marchons vers quel désert? Vers quel arbre qui ne fait pas d'ombre? Les bacchantes dansent devant leurs maîtres. Les bacchantes chantent sans savoir ce qu'elles disent. Les bacchantes ivres ne connaissent plus leur mémoire. Pourquoi faire? Les bacchantes manquent les virages et meurent dans les ravins. La terre retourne au désert. Les villages meurent les uns après les autres. Les étrangers rachètent une à une les maisons. Les étrangers disent qu'ils aiment le pays. Ils apportent la mort.

Ils achètent des maisons qu'ils n'habitent pas. Ils ferment les portes une à une. Ils mettent des sonnettes et des plaques. Propriété privée. Défense d'entrer.

Défense de stationner. Ils clouent des panneaux sur mon corps de cerisier. Clôturent ma peau dans la résille de leur grillage. Ils cadenassent les fenêtres. Ils disent qu'ils restaurent. Par quelle mise à mort? Car ils ne peuvent supporter l'ordre des choses. Ils ne peuvent supporter les objets ni les lieux. Ils ne peuvent supporter l'identité des choses. Ils mettent des roues de charrettes sur les pelouses vertes, les fleurs dans les abreuvoirs, les statues dans les colombiers. Ils ne peuvent supporter l'identité des lieux. Ils transforment les écuries en bars, les paillers en salle à manger, les bergeries en bibliothèque. Ils disent de l'écurie, il faut en faire quelque chose. Ils disent qu'ils aiment le pays. Mais ils apportent la mort.

Ils ne peuvent supporter l'écurie vide. Ils disent, il faut la transformer. Les chevaux sont partis. L'écurie est entrée dans la mort. Tu as consolidé la voûte et nettoyé les dalles. La source de la falaise coule dans l'abreuvoir. Les chevaux m'ont emportée de l'autre côté du miroir, dans les soleils trop rouges. Ils ne peuvent admettre l'identité des lieux. Car il faut qu'ils les possèdent. Il faut qu'ils les transforment. Il faut qu'ils nient. Ils ne peuvent supporter la mort. Ils s'approprient. Ils accaparent. Ils détournent. Ils n'ont plus que des lieux non vivants. Tu as consolidé la voûte et nettoyé les dalles. Tu as retiré la terre déposée dans le fond de l'abreuvoir. Mais de l'écurie morte et déserte, ils disent, il faut en faire quelque chose. Ils ne peuvent supporter qu'elle soit morte.

Ils ne peuvent supporter l'ordre des choses. Ni l'iden-

tité des objets. Ils ne peuvent accepter la mort. Ils nient.
Ils accaparent, ils détournent. Des fléaux de balance,
ils font des lustres. Des outils, dés lampadaires. Des
berceaux, des tables basses. Ils ne supportent pas l'identité des objets. Ils ne peuvent que se les approprier.
Quand ils n'y parviennent pas, ils les malnomment. Ils
appellent porte-parapluies les barattes, jardinières les
chaudrons, chauffeuses les prie-dieu. Ils les rendent
non vivants. Ils s'étonnent d'être seuls. Ils ont fait des
maisons, des objets. Des objets, des signes. Des signes,
des pouvoirs. Ils n'ont plus rien. Ils ne sont plus rien.
Ils n'acceptent pas la mort. Comment pourraient-ils
renaître?

Nous marchons. Dans quelle terre de plus en plus
abandonnée? Dans quelle terre devenant désert? Vers
quel arbre qui ne fait pas d'ombre? Une marche très
lente. Tu me tiens par le bras. Les vents brûlants. Pour
quel été immobile? Pour quel arrachement à la nuit?
Les rencontres de plus en plus rares. Un écorchement.
Une écorchance. Une écorchation. Mais non. Ils disent
seulement une écorchure. C'est cela. Rien du tout, en
somme. A peine une ronce sur la peau. Une épine. Une
pierre. Un crépi. Une écorchure. Mais non. Le hurlement de la vie consternée. Une terre appropriée. Une
terre niée. Une terre massacrée. La rocaille. Les herbes
folles. Les grands chardons. Tu me tiens par le bras.
Là-bas. Une ferme fortifiée. Château de quelle fée? Une
citerne. Un colombier. La pierre grise. Nous marchons.
Tu me tiens le bras. Une tour carrée au bout de la nuit.

Mais le colombier est vide. Ils y ont mis des statues de plomb. Comment déjà le nom de cette maladie? Comment déjà mes mots en fusion dans les chaudrons? Un pays, un homme, le forgeron et sa femme, la potière. Un mythe, la fille de la terre arrachée par le seigneur des volcans. Mais non. Le colombier est vide. Les oiseaux sont partis. Ils y ont mis des statues de plomb ou de fer peut-être. Ou de bronze. Je ne sais pas. Je ne connais des métaux que le mercure. Celui qui coule entre mes mains. Je ne connais des métaux que les acides rouges de mon crâne quand ils me paralysent. Nous marchons. Les herbes folles. Les grands chardons. La rocaille. Les bergeries détruites. Les fermes fortifiées. Châteaux de quelle fée? Terre des non-vivants. Dans les colombiers ils ont mis des statues de plomb.

Ils disent qu'ils restaurent mais ils dévastent. Ils disent que les fermes sont des objets d'art. Ils en font des vitrines. Ils ne peuvent les accepter mortes. Ils les rendent non vivantes. Ils confondent le contraire et la négation. Le mercure et le plomb. Le colombier vide et les statues de rois.

Nous marchons. Depuis combien de temps? Je ne sais plus. Nous marchons. La rocaille devient de plus en plus déserte. Tu me tiens par le bras. Ils n'écoutent plus rien. Comment pourraient-ils entendre le petit battement de l'ordre des choses. Le petit battement des mots qui manquent. Mais non. Ils font un tel bruit. L'architecture. Les objets d'art. L'esthétique. Je ne comprends pas ce qu'ils disent. Je vois une ferme, mais ils me disent que c'est un objet d'art. Elle est là depuis des siècles et ils me disent qu'elle ne va pas avec le paysage.

Ils disent que je ne comprends rien. Ils ont sans doute raison. Je ne comprends rien à ce qu'ils disent. Je marche avec des béquilles et ils me disent qu'elles sont belles. Je marche avec des béquilles et ils me disent qu'il faut les exposer. Je marche avec des béquilles et ils me disent, il faut les travailler davantage. Ils disent que je ne comprends rien à l'art. Je crois qu'ils ont raison.

Ils nomment œuvre nos pieds mutilés. Ils théorisent sur nos poitrines ouvertes. Ils achètent nos plaies pour les coffre-forer. Je ne comprends pas ce qu'ils racontent. Ils exposent leur poumon d'acier et disent qu'ils cherchent à percer. Ils paradent devant leur goutte-à-goutte et ils disent qu'il faut se faire connaître. Ils vendent leur chair et leur sang, et ils disent qu'ils réussissent. Je ne comprends rien de ce qu'ils disent. Ils parlent de technique, de présentation, de rentabilité.

Mère la mort, je cours vers toi. Ils vendent notre malheur au plus offrant. Ils disent qu'il faut produire. Exposer. Vendre. Ils font un tel bruit qu'ils n'entendent plus rien. Pourtant, l'art n'est ni une marchandise, ni un jeu, ni une malédiction. Seulement un malheur et, quelquefois, une prière.

Mais ils ne peuvent plus rien entendre puisqu'ils ont perverti le langage. Séquestrement. Séquestration. Quelle importance puisque de toute façon nous ne pouvons plus parler. Nous marchons. Dans la rocaille.

Sur le sentier. Vers quel désert? Vers quel arbre qui ne fait pas d'ombre? Vers quel arbre qui tend vers le ciel ses mains décharnées? Ils parlent de mes mots mais je leur échappe. Rupture d'identité. Évasion. La frontière. Quel arbre, là-bas, de l'autre côté de la rivière? Ils saisissent mes phrases. Je les leur abandonne. Ils s'approchent, je deviens autre. Ils me questionnent, je me tais. Ils mettent bout à bout les lambeaux de ma chair mais ils ne peuvent m'atteindre. J'ai disparu. Ils cherchent mon nom sur le registre de l'hôpital. Mais il n'y trouve qu'une tache de sang. Ils saisissent mes mots. Mais, dans leurs mains, ils s'évanouissent. Je suis au fond des terres où ils ne peuvent m'atteindre. La montagne est trop rude pour qu'ils y puissent marcher. La lumière est trop vive pour leurs yeux obscurcis. La vallée trop profonde pour leurs têtes de vertige. Je leur abandonne mes mots. Quand ils sonnent à la porte, je suis le rosier dans la cour. Quand ils viennent à table, je suis la marmite sur le feu. Quand ils veulent me saisir, je suis la gargouille sous la corniche.

Ils mesurent mes mots au décimètre de leur normalité. Je cours pieds nus dans les pierres des ravins. Ce n'est pas de moi dont ils parlent. Moi, je disparais rongée par les mots qui m'enfièvrent, faute de parvenir jusqu'à toi. Je disparais, dévorée par les harpies de mes phrases. Je disparais pétrifiée par les gorgones qui me poursuivent. Je ne suis plus que le crachat à la face des menteurs. Ils disent que je suis malade. Ils disent qu'avec moi on passe les limites de la normalité. Je les connais, leurs limites. Leurs barrages. Leurs cœurs calfeutrés dans l'absence d'amour qu'ils appellent la sagesse. Leurs mains dans les poches de peur qu'elles saisissent par hasard la main tendue d'un passant. Leurs justifications minables. Leurs démissions. Leurs lâchetés. Leurs larveries quand ils les nomment bon sens, juste milieu, compromis. Ils disent qu'avec moi on passe les limites de la normalité. Ils disent que je suis comment déjà? Ils ont raison. Je passe la frontière. Ma tête cognée contre les murs. Cognement. Cognation. La gestation d'un monde nouveau. La frontière. Là-bas, au-delà de la rivière. Un désert. Un arbre qui ne fait pas d'ombre. La cognation sans fin. Un monde en gestation. Un monde naissant. La fin de la séparation.

Mère la mort, je cours vers toi. Ils disent que je suis au-delà des limites de la normalité. Ils ont raison. Leur langage s'écarte de plus en plus de la réalité. Je rentre en toi, avec les peaux brûlées, les visages écorchés, les enfants torturés. La barbarie. Le mensonge. Le vide. Les barbelés cloisonnent l'espace de ma chair. Les miradors dressent les listes du petit matin. Les journaux renient ce qu'ils ont adoré. Les courtisans encensent ce qu'ils ont piétiné. Ils mentent, les menteurs, à pleins mots, à pleins journaux, à pleins livres.

Et tout ce sang. A pleins flots dans les caniveaux des villes, dans les rivières des campagnes, dans la vulve des femmes, dans les lits d'hôpitaux, dans les baignoires des torturants. Nous sommes le craquement des vertèbres garrottées, la secousse des électrocutés, la chute des fusillés. Tout ce sang à pleins flots entre nos mains, dans nos ventres, dans nos bouches. Ils ont raison. Nous passons les limites de la normalité.

L'aboiement du chien. Le discours monocorde de la rivière. Le calvaire. L'entrée du cimetière. Les coquelicots. Les boutons d'or, une voix d'enfant. Un amour inconsolable. Elle est assise sur le balcon, dévidant son écheveau dans le panier d'osier. Écru, bisé, grisé, burel. Les couleurs de ma peine. Je tends les bras vers elle. Elle n'entend pas. Elle emmêle les écheveaux de laine pour que je ne bouge plus. Je deviens le discours monocorde de la rivière. Je ne comprends pas ce qu'elle dit. Les framboises, les amandiers, les aubépines. Elle dit qu'il n'est plus temps. Tant d'amour. Tant d'amour. Elle referme son ombrelle et secoue sa robe mauve. Je ne vois plus ses yeux.

Mère la mort, je rentre en toi pour survivre. Tu m'ouvres les cuisses dans la vulve de tes lézardes. Dans la chair de tes murailles. Dans tes plaies que rien ne peut plâtrer. Je rentre en toi pour toujours. Je suis le discours monocorde de la rivière. La salive de la falaise. L'écoulement vaginal de la source. Je suis les poutres de tes clavicules, les écuries de ton nombril, les escaliers de tes rotules. Je suis la pourchassée, réfugiée dans la grotte, la recluse noyée dans sa chambre, l'étrangère emmurée dans le pressoir. Tu m'ouvres les cuisses et voici que je rentre en toi pour toujours. Sur le balcon, la chaise est vide et le panier d'osier renversé. Elle n'est plus là. Elle est rentrée en moi. Elle ne dévide plus son écheveau dans le panier de ma peine. Elle regarde la campagne. Elle taille les mots qui lui restent pour coudre mon habit d'arlequin. Elle brille enfin dans la lumière de notre réconciliation. Elle m'ouvre les cuisses pour que je redevienne enfin sa chair. Ils ne peuvent plus rien contre moi. Ni me saisir, ni me guérir. Ils ne peuvent même plus me nommer car je suis devenue l'innommable. Ils ne peuvent plus que regarder au travers de la fenêtre refermée. Mes mains écrasées au carreau des phrases. Ma chair écorchée à la crémaillère de leur conjugaison. Mon corps appuyé au chambranle de leurs prépositions. Revivant sans fin la genèse du monde. L'impossible éclatement du langage. L'impossible conjugaison d'un amour sans temps ni pronom. L'impossible déclinaison des mains des forêts quand elles saisissent mes chevilles. L'impossible conjonction de ma tête ensanglantée et de son corps refermé.

Mère la mort, je suis rentrée dans ton ventre pour l'éternité. Le retour de la campagne dans son point d'équilibre. L'été immobile. Les saisons pour dire l'ovulation des cultures. Les mois pour dire les cheveux des prairies quand ils ondulent sous mes doigts. Les champs qu'ils moissonnent quand la montagne enfante le blé. Les noms des mois pour dire quoi au juste? Pour quel improbable calendrier quand la nuit m'enveloppe. Le temps labourant ma chair et me ramenant au fond de toi. Enfin. Pour que cesse ma douleur. Pour que cesse le nom des choses. Pour que cesse cette perforation des majuscules dans le corps de mon langage. Nulle part.

Nulle part ailleurs qu'où j'étais déjà depuis toujours. En toi. Au plus profond de moi. Tout au fond de toi dans mon ventre. La cosmation dans le soleil immobile quand il reflète les couleurs de tes mains.

La corde oubliée. Le tabouret renversé. L'attente de la poutre maîtresse. Peut-être que j'y parviendrai et que je ne mourrai pas. Les mots comme une colère trop longtemps contenue. Les mots comme une cage libérant ses frelons. Les mots comme une caisse défoncée, livrant ses armes. Le langage à genoux criant grâce. Nos parachutes de couleurs sautant des avions. Nos cuirassés de lumière accostant dans leurs ports. Nos mines submergeant leur bonne conscience. Nous y parviendrons. Nous ne mourrons pas. La déchirure. Le déchirement. La déchiration. La déchirance. La déchirude. Les mots comme des frelons à l'assaut de leurs masques. La déportation. Le déportement. La déportance. La déporture. La déportude. Le grand retour. Les frelons à l'assaut de leur mensonge. Ils disent que la mort n'est pas la vie. Ils confondent le contraire et la négation. Un jour, la falaise tombera sur la maison. Un jour, ma tête en ruines contemplera la lumière. La corrosion. L'errodation. L'érosion. L'engloutissement. L'engloutation. La mer. La falaise. Les dragons. Ta matrice digérant la maison.

Peut-être que je vais réussir à leur échapper et que je ne mourrai pas. Ils disent que j'ai une maladie. Ils disent que je suis folle. Ils disent que je vais mourir. Peut-être pas. Peut-être que nous allons leur échapper. Jusqu'à quand continueront-ils à définir la normalité?

A nier notre différence? A parler à notre place? Jusqu'à quand les charlatans de nos misères continueront-ils à régner sur nous? Jusqu'à quand les charognards de notre désespoir continueront-ils à disséquer nos malheurs? Jusqu'à quand leur langage, arme absolue pour asseoir davantage leur pouvoir? Jusqu'à quand continueront-ils à nommer les choses et à définir le normal? Jusqu'à quand continueront-ils à ravaler leurs maisons avec le prix de notre angoisse? A acheter nos tableaux avec la crainte de nos abandons? A détourner les objets avec la rançon de nos peines? Jusqu'à quand serons-nous leurs clients, leur gagne-pain, leur bétail, leurs mascottes, leurs terrains d'expérience, leurs chasses gardées? Jusqu'à quand continueront-ils à faire de nous des possédés? Jusqu'à quand continueront-ils à se servir de nous pour justifier leur désir? Jusqu'à quand nous mettront-ils des étiquettes dans leurs collections?

Ils sont les plus forts puisque la langue est impossible à casser. Ils sont les plus forts. Prêts à brandir leur arsenal préfabriqué. La foudre du révélateur. Le piège des bras tendus. Les chausse-trapes des lapsus. Décodant les images de notre nuit. Comme si nous ne les connaissions pas mieux qu'eux-mêmes. Comme si nous ne savions pas tout de nous-mêmes. Comme si nous ne connaissions pas nos maladies pour les avoir inventées. Comme si nous ne savions pas pourquoi nous ne voulons pas guérir et pourquoi les plus faibles d'entre nous les supplient de nous guérir. A n'importe quel prix. Prêt à toutes les capitulations pour un peu d'attention. Pour un peu d'amour. Pour un peu moins de souffrance. Ils ont toujours raison. Ils sont les plus forts. Ils ne perçoivent même pas notre différence. Ou plutôt, ils la nient. Leur pouvoir repose sur cette négation. Ils n'entendent pas nos identités balbutiantes cherchant dans la nuit. Ils n'entendent pas ce refus même de l'identité quand il débouche sur la montagne. Ils ne peuvent pas l'entendre. Car ils n'écoutent que ce qui nous asservit. Ils ne peuvent pas l'entendre, car leur langage suffit à nous faire taire. Ils ne peuvent pas l'entendre car ils parlent une langue que nous ne comprenons pas. Tant pis si nous en mourons. Tant pis s'ils cherchent à dire ce qui nous sauverait la vie. Tant pis si nos forces réunies nous approcheraient de l'aurore. Tant pis si nos forces en commun retrouveraient le son perdu.

Mais non. Ils sont barricadés dans leur langage. Bien au-dessus de la mêlée de nos souffrances. Que deviendrait leur pouvoir si nous comprenions ce qu'ils écrivent sur nous? Prenons courage, les enfollées. Regardons-les s'approprier nos folies pour s'en faire valoir. Regardons-les collectionner les toiles de nos souffrances. Regardons-les régner sur l'empire de nos désastres. Prenons courage, les enfollées. Récupérons là parole qu'ils nous ont arrachée et clamons nos différences puisque c'est de cela que nous mourons. Ne soyons plus leurs malades. Ni leurs clientes. Ni leurs mascottes. Ne soyons plus l'assise de leur pouvoir. Ne soyons plus leurs possédées. Ils ont besoin de nous pour croire qu'ils existent. Mais nous n'avons pas besoin

d'eux. Ils m'attendent pour me saisir. Mais je brûlerai
les mots dans la cheminée de mon désespoir. Je peindrai
les arbres mauves sur ma peau et je jetterai mon corps
dans la rivière, pour qu'il retourne à la mer.

Ils disent que nous sommes fous. Ils ont raison car,
sinon, nos hurlements ébranleraient leurs bonnes
consciences. Ils ont raison de conjuguer au passé. Car,
sinon, la plainte des emmurées les empêcherait de
trouver le repos. Ils ont raison de nous retrancher du
monde car, sinon, nous ne les laisserions jamais en
paix. Ils ont raison de dire que nous sommes des demeu-
rées. Nous sommes restées au jour où nous avons
compris qu'ils mentaient. Ils ont raison de dire de nous,
nous sommes des idiotes, puisque c'est notre langue à
nous, que nous parlons. Qu'ils se dépêchent encore
quelque temps de dire que nous sommes folles, car nous
n'allons pas tarder à relever la tête.

Mère la mort. Je souffrirai l'hiver et j'écrirai l'été.
Mais non. Quelle insouciance. Quelle prétention. Voici
qu'il faut souffrir aussi l'été. Et écrire encore l'hiver.
Cette blessure. Cette souffrance que rien ne peut faire
cesser. A peine sans doute pour un moment le clapotement de la machine dans la cellule des condamnés à
mort. Ils l'appellent, cellule de réadaptation à la vie. Le
suicidé manqué. Chaque jour sans doute. Chaque jour
aussi la renaissance. Le téléphone coupé. Les lettres
arrivent encore, mais je ne les ouvre plus. Je souffrirai
l'hiver et j'écrirai l'été. Mais je souffre aussi l'été. La blessure ne se referme pas. Tu me regardes. Tu me laisses

écrire sur les murs. Les glaces ne me suffisent plus. Il n'est plus question de partir, puisqu'il n'y a plus d'autrefois. Plus rien que cette souffrance que rien ne fait cesser. La lave en fusion cognant dans mon crâne. La marée qui monte, envahissant mes oreilles. Le naufrage. La tête cognée entre les casseroles. Les sanglots jetés contre le mur. Tu me regardes. Le voile blanc des mariées sur la tête de la mort.

La terre fracturante pour quelle gestation. Pour quel langage que je ne parviens pas à retrouver et qui me sauverait. Rapprends-moi les mots qu'ils m'ont arrachés. Tu me regardes. Si je meurs. Tu t'y prépares. Tu bats la ville. Les librairies. Les bouquinistes. Feuilletant frénétique à l'écoute de l'infime battement des légendes. Tu reviens. Ouvre les mains. Tu y tiens le temps transformé en cheval. Le temps épousant sa sœur la terre. La terre enfantant le ciel. Comme si je ne savais pas. Tu souris. Mais la terre en fusion. Ma tête contre le mur. Le cognement. La cognation. Le voile blanc des mariées sur la tête de la mort. Tu reviens de quelle lecture d'insomnie ? Nous ne savons plus. Les femmes emmurées dans les piles des ponts. La réalité, la légende ou simplement mes mots ? Nous ne savons plus. Comme si je ne savais pas depuis toujours. Ils l'ont prise, la cavale, elle a de l'eau jusqu'aux épaules. Quelle page déjà ? Quel livre cette légende ? Quel siècle cette coutume ? Ils l'ont enfermée. Comme si je ne savais pas depuis toujours. Tu reviens de tes longues marches dans les rues, cherchant la même chose que moi. Plus rien que cette souffrance. Ma tête en fusion, cherchant en vain la lumière. Ils l'appellent réadaptation à la vie. Le suicide manqué. Chaque jour un peu moins.

L'étau se resserre autour de ma tête. Tu connais un homme qu'ils ont jeté à l'eau. Tu connais un homme dans le ventre d'un poisson. Elle tricote sur son ventre dilaté. Mais, dans la matrice, elle l'étouffe. Un homme crie son angoisse. Il a un nom d'oiseau. Ton nom, l'innommable. Un oiseau sur la tête. Des serpents dans les mains. L'étau se resserre autour de ma tête. La pensée qui devient fixe dans son point d'équilibre. La gestation. La gestance. La genèse. Ma chair déchirée par cette langue oubliée. Elle revient quelquefois par bribes. A peine. Un patois. Non. Une langue. Peut-être. Une langue plus profonde encore. Une langue au ventre si large qu'elle contient les montagnes. Une langue au corps dilaté. Elle contient la mer et les bateaux. Et les rivages aussi, quand elle devient la mangrove. Les marécages. La terre. Par quel éclat de chair sédimentant peu à peu. Il a un nom d'oiseau. Je cherche. Le passage trouble où tout se joue. Tout commence. La mangrove. Les marécages. Le marais. Dans mon ventre. La mer qui devient terre. Peu à peu. Le reptile de ton sexe dans le marécage de ma vulve. Un souvenir. La mémoire du monde.

Si je la retrouve, je ne mourrai pas. Cellule des condamnés à mort. Ils l'appellent chambre de réadaptation à la vie. Ils y ont mis des barreaux. Ils ont peur que je m'évade. Ils m'y ont jetée nue. Ils m'ont pris mon alliance. Ils m'ont donné une vieille serviette pour éponger mon sang. Je suis pieds nus sur le carrelage. Ils m'ont encore battue. Mais si je trouve ils me laisseront partir. Les reptiles dans les marécages. Les écailles sur leur dos. Les écailles qui s'agrandissent. Ils montent aux arbres. Tu souris. Peut-être sais-tu ce dont je parle. Les reptiles montent dans les arbres. Si je trouve, nous ouvrirons les portes des asiles et les fous sortiront. Quelques écailles plus grandes que les autres. Un souvenir. Combien de millions d'années? Ils me battent tous les jours. Mais si je trouve ils me laisseront partir. Ils se laissent planer du haut des arbres. L'écrasement de leur corps visqueux dans la mangrove. Le clapotement de nos chairs emmêlées. Quand la mer devient terre. Dans le marais fertile de mes cuisses. Si je trouve, ils me rendront l'alliance et ils nous laisseront partir.

L'heure n'est pas encore venue. L'heure ne viendra peut-être jamais. Le grand silence immobile. Les oiseaux éclatés quand ils chantent dans le miroir de la falaise. L'heure n'est pas encore venue de nos blanches retrouvailles. Le corbeau qui ne revient pas. La colombe, un rameau dans le bec. L'heure n'est pas encore venue. La montagne à genoux suppliant la vallée. La montagne abandonnée à la procession des oiseaux. La rivière coulant vers quelle réconciliation? Si je trouve, ils me laisseront partir et me rendront mon alliance. L'heure n'est pas encore venue des horloges retournant dans la chair de ceux qui les ont inventées. Pourtant. Pourtant par moments. Par moments, ils se félicitent de mes progrès. Par moments, ils disent que je vais pouvoir partir. Mais c'est seulement si je deviens comme eux. Si j'accepte de renoncer à toi.

Mère la mort. Comment le pourrais-je? La fenêtre ouvre au monde. Les oiseaux dans les creux de la falaise. Les reptiles sous les pierres. Ils disent que je continue à faire des fautes. Ils disent que ce n'est pas vrai. Je ne me souviens pas de notre langue commune. Ils disent que c'est à cause de moi que le bétail avorte. Que les hommes s'en vont. Que les fils ne dorment pas la nuit. Ils me jettent des pierres. Ils ne veulent pas me laisser aller jusqu'au lavoir. Je vais mourir de soif. Ils disent qu'à cette heure-là je dois dormir et non courir dans l'hôpital. Ils disent qu'à cette heure je dois dormir et éteindre la lumière. Ils disent qu'à cette heure je dois dormir et non écrire.

Ils ne veulent pas que je lise. Ils disent que cela me fatigue et que je ne vais pas guérir. Ils ont raison. Je cherche ton nom. Je cherche ton nom dans la mémoire du monde. Ton nom tout au fond du cachot où ils m'ont enfermée. Tout au fond du cachot où ils m'ont attachée. Parce qu'ils ne supportaient plus de m'entendre hurler. Parce qu'ils n'avaient pas le temps de me tendre les mains. Parce qu'ils n'avaient pas le courage d'écouter ma question. Je cherche ton nom. Tout au fond du cachot où ils m'ont attachée. Tout au fond des murailles où ils m'ont cimentée parce que j'avais laissé s'éteindre le feu du foyer. Tout au fond du lit où ils m'ont ligotée parce que j'avais mangé mon enfant. Je cherche ton nom. Ils disent que ce n'est pas vrai. Pourtant, je me souviens. A peine. Un petit battement. Le temps immobile. Les oiseaux planent devant la fenêtre de la chambre. Je me souviens. La vallée en bas à la merci de la montagne qui se resserre. Les portes de fer. Le verrou de la matrice. La gorge du poisson. La bouche des fleuves. Je cherche ton nom. Derrière la fenêtre. Le long du corridor. Au bout de tous ces mots. Combien d'années-lumière? Avant la séparation du temps et de l'espace. Avant que dans leur mythe ils arrachent la fille de la terre pour lui faire épouser le seigneur des enfers. Avant que la terre enfante le ciel et l'épouse.

Je cours vers toi, dans le discours monocorde de la rivière. Le temps d'avant. Le temps d'avant les portes de fer. Le temps d'avant la matrice où elle va m'étouffer. Le temps d'avant le ventre du poisson qui m'a avalée. Mais non, je ne meurs pas. Je cherche ton nom. Ton nom d'avant qu'ils t'aient nommée. D'avant les envahisseurs survenant de l'horizon. D'avant les conquérants t'arrachant à toi-même pour te faire plusieurs. Ils disent que je fais des fautes d'orthographe. Mais si le singulier, c'était toi? Mais si le pluriel, c'était eux? Ils t'ont arrachée à toi-même pour te faire plusieurs. Avec autant de cultes qu'ils t'ont donné de noms. Avec autant d'attributs qu'ils t'ont voué de cultes. Avec autant d'attributs qu'ils t'ont dressé de temples. Je cours vers toi, cherchant ton nom qu'ils ont arraché. Je cours vers toi. Quand tu n'étais pas cette triste généalogie inscrite au crayon sur le mur de la chambre. Quand tu n'étais pas séparée entre mari et femme, entre mère et fille, entre animal et homme, entre plante et fleuve. Ils disent que je fais des fautes d'orthographe, mais savent-ils que nous sommes le singulier et eux le pluriel? Je cours vers toi. Quand tu étais tout ensemble les fleuves et les semailles. Les pierres et les étoiles. Les fleurs et les falaises. Les maisons et les feux. Ils disent que ce n'est pas vrai, que je n'entends pas dans mon ventre le petit battement qu'ils n'ont pas réussi à éteindre. L'espace et le temps tout entier dans la fenêtre ouverte. Le vol des oiseaux dans mon cadran solaire.

Ils disent que ce n'est pas vrai puisque ce n'est pas marqué dans leurs livres. Ils disent que c'est le temps qui mange ses enfants. Ils disent que tout commence quand la raison casquée sort de la cuisse du créateur. Mais ils sont seulement des conquérants. Et ils ont oublié les terres d'avant. Notre langue commune d'avant la séparation. Les statues de terre cuite que nous faisions entre nos mains. Tes larges cuisses et tes seins nus. Tes oiseaux et tes serpents. Ils ne se sont souvenus que de leurs lances et de leurs boucliers. Ils ont oublié ton nom. Le seul qu'ils n'avaient pas donné.

Les chairs emmêlées. Les chairs glissant l'une dans l'autre. Le serpent de ton sexe dans le marécage de ma vulve. Un cri. Une femme qui crie. Une jambe qui glisse. Une cuisse ouverte. Un enfant naissant. Mais non, le cri ne serait pas si fort. Mais non, les naissants ne crient pas si fort. Ils disent cela pour se rassurer mais ce n'est pas vrai. Les naissants crient faiblement. Comme le chaton recueilli. Comme le chaton retrouvé au bord de la route. Comme le chaton arraché au ventre de sa mère. Comme le chaton abandonné. Les enfants ne crient pas si fort. Ils disent cela pour se rassurer. Les chairs glissant l'une dans l'autre. Les chairs glissant l'une de l'autre. Un cri. Une femme qui crie. Un enfant naissant. Un vagissement. Le chaton dans le panier d'osier. Il va mourir. Un présage. Une substitution. Un cri d'enfant naissant. Cela ne serait pas si fort. Une main d'homme sur un ventre de femme. Un panier d'osier. Un cri d'amour. Le serpent de ton sexe dans le marécage de ma vulve. Depuis combien d'années-lumière?

Le lit défait. Quelle campagne. Quelle création du monde. Le lit fait de quel appel. Le lit défait. De quelle bataille contre ce qu'ils nous ont appris? De quelle reddition du moi pour parvenir jusqu'au tout? Le lit défait. Dans quelle campagne? Dans quels cheveux en bataille? De quel savoir en déroute? De quel appel sur les tambours de peau? Il connut sa femme. Il naquit avec elle. Dans quel évanouissement de nos personnes? Pour quelles chairs mêlées reconstituant le monde. Pour quelles murailles écroulées découvrant les abîmes? Les géodes d'améthyste de ta bouche. Les tourmalines de ma détresse. L'argonite de tes yeux. Les lianes de tes bras fleurissant de quelles innombrables mains? La résurgence de mon corps dans quelle terre inculte? Dans quelle falaise remplie d'oiseaux? Dans quels champs arrachés au désert?

Il connut sa femme. La théière bleue sur la cheminée de marbre. La lavande bleue sur la cheminée de marbre.

Le cendrier bleu sur la cheminée de marbre. Le poêle bleu devant la cheminée de marbre. Pour quel hiver passé? La rivière baisse encore un peu, ce doit être l'été. Le lustre à fleurs. Le lustre à perles. Le lustre en porcelaine. Pour quelle nuit? Les rideaux en dentelles. Pour quelle aurore? La porte bleue pour quels songes? La poignée en cuivre. Pour quel passage? Les draps blancs. Pour quelles épousailles?

Il connut sa femme. Les rameaux de quel arbre dans les lézardes de la maison. Les racines de ton ventre dans la chair de ma terre. Les mains de mes feuilles arc-boutées sous ton ciel. Tes pieds emmêlés aux fruits de mon corps. La fin du je. La fin du pouvoir. La fin de l'identité. L'échiquier renversé. L'au-delà du miroir. La source. Non pas. La résurgence. Vers quel fleuve? Vers quelle embouchure? Pour quelle marée. Vers quelle absence de port?

Il connut sa femme. Mais la mer est inépuisable. La mer ne sait conjuguer qu'à l'infinitif. La mer confond le passé et le futur. La mer se conjugue sans pronom. La mer n'est qu'à l'infinitif. Baignant les continents de leurs chairs. Abritant les reptiles à l'assaut de leur terre. Nourrissant leurs oiseaux entre la terre et l'eau. La mer ne se conjugue qu'à l'infinitif mais ils ne veulent pas le dire. Ils ne peuvent posséder que ce qu'ils ont borné. La mer ne sait conjuguer qu'à l'infinitif. Mais ils ne veulent pas le dire car ils veulent nous approprier.

Il connut sa femme. Nos mois perdus dans cette infinitude. Le moi perdu ouvrant la transparence. Nos

ventres confondus dans la mangrove. Je suis la mer infinie que rien ne peut combler. Je suis le corps sans
conjugaison. La terre sans syntaxe. La mer sans nom où
se perdent leurs filets. Je suis les reptiles et les oiseaux
naissant des marécages. Je suis les poissons qui les
contiennent tous. Tu écopes de tes mains ouvertes toutes
les eaux de mon crâne. Mais elles découvrent des fosses
plus profondes encore. Plus tu en retires, plus il en
vient. Tu écopes de mes eaux les reptiles qui montent
vers les terres. Tu retires de mes eaux les oiseaux qui
planent devant la fenêtre. Tous les jours la création du
monde. Toutes les nuits le retour dans la matrice. Je suis
la mer insatiable, la faim infinie, la soif inépuisable.

Mère la mort, ils m'ont enfermée. Parce que je n'avais
pas d'identité. Parce que je confondais les glaces et les
miroirs. Parce que je confondais tes deux noms. Pour
une voyelle. Dans quelle langue déjà? Dans quelle langue
sacrée ne peut-on prononcer que ce que l'on connaît?
Dans quelle langue déjà les mots n'ont qu'un seul sens?
Ils disent que je ne guérirai pas. Ils ont raison. Le miroir
traversé conjugue le fusionnel. Ils disent que je ne guérirai pas puisque je confonds les personnes. Ils ont
raison. Les vampires ne s'y reconnaissent pas. De
quelle matrice digérante se souviennent-ils? De quelle
angoisse? De quel étouffement? De quelle absence
d'identité?

Ils disent que je suis folle parce que je confonds les
personnes. Mais je m'échappe dans le bleu transparent
des eaux de sa matrice. Je ne suis pas guérie. Je ne gué-

rirai jamais. Je ne suis pas malade. Je ne confonds pas
les personnes. Elles sont une même. Fondue ensemble
dans le grand chaudron où tourne la cuillère de bois
de l'été immobile. Je ne confonds pas les personnes.
Je les fusionne. Dans la lave de mon ventre incandescent.

Il connut sa femme. Dans mon ventre, les reptiles
retournent à la terre unique. Les branches nouent leurs
écorces pour devenir le tronc de quel arbre? Les fils
se tordent pour quelle corde? Les coulées de lave
remontent toutes ensemble vers le volcan. L'unification.
L'unité. Le un. Le même. La même fois. Toujours. Je
ne confonds plus les personnes. Je confonds les personnes. Je ne conjugue plus. Je conjointe. La confusion.
La conjonction. Je fonds ensemble tous mes amours.
Ils deviennent le soleil et les étoiles. Ils deviennent le
ciel dans la mer. Insatiable et sans fond. Je suis les
gouffres et les gaves et les torrents et les marées. Je suis
les montagnes en plissement. Les cratères en fusion. Les
fœtus en gestance. Confusion mentale, disent-ils, et ils
lui donnent un nom. Comment déjà? Mais ils en
oublient les symptômes. Le soleil dans mes yeux et
l'amour dans ma chair.

Je n'avais pas prévu. La mort du je. Le bleu transparent des rêves ouvrant sur l'autre chose. L'autre part.
Le fleuve confondu de l'espace et du temps allant vers
l'embouchure. Les barques traversent le rapide en bas
de la maison. Là où il n'y a presque plus d'eau. Elle
n'a pas réussi à m'étouffer. J'ai survécu à ma propre
naissance. La caverne dans la falaise livre enfin ses des-

sins. La brûlure des soleils immobiles est celle de la lumière. Combien de temps encore derrière les carreaux brouillés? Que savent-ils de ce que je vois au travers? Personne ne maçonne plus les pierres qui se détachent une à une. La corniche est déjà tombée dans la rue. Ou la gargouille seulement. Je ne sais pas. Personne ne viendra la refaire car le balcon est trop haut pour que personne puisse l'atteindre. Tant pis. Ce n'est pas moi qui parle. J'ai disparu tout à fait dans le discours monocorde de la rivière. Tu as mis des filets sur le toit pour rattraper les pierres qui tombent de la falaise. Mais il en est tombé tant qu'elles ont traversé le toit. Le papier peint que tu avais collé flotte à la poupe de mon corps en joie. Les lézardes des murs s'élargissent et la peinture épaisse ne retient plus les branches du plafond. Le dessin se précise. Les traits se font plus nets. Ton enduit ne masque plus l'essentiel. Un arbre aux mille mains écartelées sous le plafond. Un arbre qui croît dans mon corps et traverse le toit effondré. Un arbre dans les décombres de la maison en ruines.

Le facteur apporte des lettres que je ne descends pas chercher. Je ne réponds pas puisqu'ils ne posent pas de questions. Les lettres s'accumulent sur les marches de pierre qui montent dans le cœur de la falaise. La réponse est dans le silence. La réponse est dans la question même. Je ne réponds plus aux lettres qui s'accumulent dans l'escalier de pierre. La porte est ouverte pour qu'ils puissent entrer et sortir. Mais ils ne peuvent supporter le silence épais de la disparition des noms. Ils ne peuvent supporter la parole des pierres. Ils ne peuvent supporter l'absence d'identité. Ils ne peuvent supporter la disparition du je. L'alchimie du temps. L'amour philosophal. Les acides rouges dans ma tête. Le sang dans mon ventre ouvert. Les écheveaux de laine enchevêtrés aux branches du maquis. La senteur des chemins sur mon corps. Ils ne peuvent supporter l'exigence du matin. La chaleur de toute heure. La plénitude du soir. Ils ne peuvent supporter la chaleur car ils ne la reçoivent pas comme leur chair.

Les murs de la maison s'écroulent peu à peu. La falaise s'effrite chaque jour un peu plus. Je te regarde. Ils m'ont cimenté les oreilles pour que je n'entende pas la plainte des emmurées. Ils m'ont ligotée pour que je ne leur tende plus les mains. Ils m'ont coupé la gorge pour ne plus m'entendre hurler. Ils m'ont paralysée pour que je ne leur ouvre plus mon corps.

Je les connais, les pantins mécaniques. Les phallocrates féministes. Les sexologues patentés. Les normalisateurs de la création du monde. Les hygiénistes des tremblements de terre. Les psychanalystes des raz de marée. Je les connais, les marchands du temple. Ils bornent nos ventres pour se les approprier. Ils dressent des courbes pour le plissement des montagnes. Ils établissent des phases pour la sédimentation des océans. Ils parlent à notre place pour être sûrs de nous faire taire. Ils ont donné un nom à ma maladie. Comment déjà? Ils ont donné un nom à ma maladie. Mais ils se trompent de diagnostic. Ils ont réuni leurs internes. Ouvert un dossier. Pris des notes. Compulsé leurs fiches. Ils cherchent un nom. Ils n'en trouvent pas. Ils approprient les montagnes, classent les vallées, rectifient les torrents. Mais ils ne peuvent pas nommer tes bras ouverts à ma détresse. Ils ne peuvent pas nommer ta main sur mon front quand elle refait le jour. Ils ne peuvent pas nommer le fait d'amour quand l'un à l'autre nous renaissons. Ils ne peuvent pas nommer la colombe quand elle s'envole de nos ventres en fusion.

Ils ont donné un nom à ma maladie. Mais ils se trompent de diagnostic. Ils cherchent un remède pour une maladie incurable. Le tellurisme. Mon corps en joie. Mon corps cosmique. Mon corps insatiable. Comme si les terres émergées pouvaient combler les gouffres de la mer. Tout leur sperme n'y suffirait pas. Tellurisme, la maladie incurable. L'évasion réussie au travers de leurs mortelles conjugaisons. De leur possession. De leur mensonge. De leur inexistence. Tellurisme, la confusion du temps et de l'espace. Tellurisme, la confusion dans le grand tout. Tellurisme, l'amour de la vie.

Fallait-il qu'ils aient peur pour définir notre sexe à l'image du leur. Ils croient nous posséder mais nous sommes impossédables. Ils croient nous gouverner mais nous sommes ingouvernables. Ils croient nous satisfaire mais nous sommes insatiables. Mais ils nous ont interdit de le dire. Alors, ils sont entrés dans l'angoisse. Ils sont seuls. Pour conjurer leur peur, ils chantent très fort. Pour conjurer leur angoisse, ils se congratulent. Pour conjurer leur solitude, ils se vantent de leurs exploits.

Je ne sais plus si l'identité veut dire pareil ou différence. Je ne sais plus. Peut-être que je voulais seulement
parler d'amour. Mais de cette détresse s'élève un chant.
Il suffit de tendre l'oreille pour entendre la plainte des
vivants. La souffrance de leur chair. L'angoisse de leur
cœur. Si forte que certains préfèrent mourir. Si forte
qu'ils ne peuvent retirer leurs masques, cachant leurs
visages tuméfiés. Si forte qu'ils ne peuvent supporter la
contemplation de leur propre mort. Pourtant, la vie
même. Mais ils la refusent. Tu es mort et tu me donnes
la vie. Tu refuses ta mort et tu meurs vraiment. Comme
si toute cette détresse avait un sens. Nous marchons.
Dans les avoines. Dans les pierres. Dans le chemin de
plus en plus désertique. Nous marchons dans la nuit.
Vers quel jour balbutiant ? Vers quel reflet de la lumière ?
Vers quel reflet d'une mémoire que rien n'a pu atteindre ?
Nous marchons vers son avènement. L'alternance de
la vie et de la mort. Une maladie, disent-ils. Peut-être
pas. Une passion. Une mort. Une renaissance.

Mais ils veulent me guérir. Ils veulent me ramener
à l'hôpital. Vriller mes oreilles. Piquer mon corps.
Obscurcir mes yeux. Ils veulent faire de moi une femme
accomplie. La proie des pieuvres qui enflent et me
dévorent. La proie des dévorants qui m'approprient et
m'asphyxient. Mais je leur échappe. Je deviens les
branches des arbres, les cheveux des campagnes, les
calebasses de la rivière. Mon corps émerge de leurs
mains toutes prêtes à m'agripper. Nous marchons. Dans
quelle nuit ? Vers quelle aurore ? Remontons le temps

à la recherche du matin dont nous sommes séparés.

Mais j'ai si mal. Si mal de cet arrachement aux barbelés qu'ils ont posés. Si mal des murailles qui se déchirent, emportant ma chair par lambeaux. Les béquilles des mots m'empêchent de tomber. Combien de temps encore avant de retrouver le déhanchement tranquille des jours heureux? Ma bouche déformée crie toujours la même chose. Ton nom que je cherche et qu'ils m'ont arraché. Mes mains coupées se tendent quand même vers eux. Mais ils se détournent. La noyante crie si fort qu'ils se bouchent les oreilles pour être sûrs de ne pas l'entendre. Mais quand tu es en moi la souffrance cesse enfin. Tu fais revenir le jour. Ta lumière, comme une étoile qui brille plus fort dans ma nuit. La mort et l'amour. Deux revers d'une même chose. De quel oiseau entre la terre et l'eau. De quel serpent à plumes s'enfuyant dans la mer?

Mes pieds pour embrasser les terres. Mais ils les ont tordus. Mes mains pour caresser les corps. Mais ils les ont écartelées. Tout m'est corps. Même la parole. Surtout la parole. Un cri qui monte vers eux. L'attente désespérée d'un écho. L'écoute d'une parole. Des mains. Des pieds. Des ventres. Des bouches. Une vulve gigantesque ouverte sous les étoiles. Une rencontre cosmique. La mort du je. L'inconnaissable.

L'exigence du matin. L'austérité du jour. La reconnaissance des soirs. Le vol des oiseaux à des moments précis. Le bruit de la rivière qui baisse encore un peu. L'écho des voix que j'entends mieux pourquoi donc

dans le soir. Les grillons et les cigales de l'autre côté
de la rivière. La reconnaissance. A qui dirai-je l'amour
si ce n'est à toi, mon amour. A qui dirai-je la gratitude
du jour et la reconnaissance des soirs. Le fossé plus profond chaque jour. Pour plus d'amour encore. Le jour
accompli. La reconnaissance du soir. A qui dirai-je
l'amour si ce n'est à toi, mon amour. Ils ont perdu ma
trace car j'ai marché dans la rivière. Pourtant mes mains
sentent les pierres du causse quand elles ont caressé ton
dos. Ils ont fait de moi la muraille. Mais j'ai laissé fleu-
rir les bois morts qu'ils m'avaient assignés pour
demeure. Ils ont voulu me faire partager leurs mensonges mais je me suis enfuie si loin dans l'intérieur
qu'ils ne peuvent plus me retrouver.

Je ne suis pas guérie. Je leur échappe quand même.
Je n'ai même plus besoin de renverser sur eux mes mar-
mites de mots. Je n'ai même plus besoin de leur jeter des
pierres en m'embusquant sur les toits. Je n'ai même plus
besoin de dresser des pièges pour ceux qui montent
l'escalier. J'ai l'exigence du matin, l'austérité du jour,
la reconnaissance des soirs. Je suis l'exigence du matin,
l'austérité du jour, la reconnaissance des soirs. J'ai la
pierre ocre de la maison et je suis la poussière de terre
qu'elle devient. Je suis l'auxiliaire être et avoir réconci-
liés dans le grand tout. La suppression du verbe. La
mort du sujet. L'absence de complément. L'exigence
du matin. L'austérité du jour. La reconnaissance des
soirs. La pierre ocre. La poussière de terre.

Mais ils sont là, à prétendre me guérir. Ils disent

qu'ils me laisseront partir quand j'aurai peigné mes cheveux. Maquillé mon visage. Peint mes lèvres. Mais je n'aime que les arbres, la mousse et les framboises. Tous les jours, ils viennent me chercher pour me conduire à l'interrogatoire. Ils compulsent leurs fiches, leurs dossiers, leurs théories. L'école de. Étant donné que. Compte tenu du fait que. Ils disent que je ne suis pas une vraie femme. Mais mon corps tendu vers toi? L'instinct maternel. Mais l'étouffement du fœtus dans la matrice? Le symbole de la vie. Mais la falaise engloutissant la maison? Les femmes, témoins de l'amour. Mais l'enfant digéré par mon corps? Ils disent que je ne suis pas une vraie femme. Mais cette force qui gronde en moi? Ils disent que les femmes sont faites pour la maternité. Mais, dans ma tête, la création du monde? Ils disent que je dois sourire. Mais les volcans de mon corps? Ils disent que je dois parler doucement. Mais la lave entre mes lèvres? Ils disent que je dois être gentille. Mais le raz de marée dans ma chair? Ils disent que j'ai tout pour être heureuse. Mais mon corps ligoté? Ils disent que je suis jeune. Mais ils m'enterrent vive. Ils disent que je suis belle. Mais ils m'obligent à me vendre. Ils disent que je ne dois pas me tuer puisque j'ai tout.

Mais que nous ont-ils laissé. L'excellence dans les travaux du ménage. L'abnégation dans les soins aux enfants. Le sacrifice dans les métiers féminins. Ils prétendent nous guérir de la mort qu'ils ont mise en nous. Ils ont tué un à un tous les élans de nos vies. Ils nous ont dit de nous marier, d'être heureuses, d'avoir

des enfants. Mais voilà. Nous ne voulons plus nous
vendre à un homme pour échapper aux autres. Nous ne
voulons plus du bonheur qu'ils préparent pour nous.
Nous ne voulons plus être les jarres porteuses des héri-
tiers de nos renfermements. Nous ne voulons plus de la
mort lente dans l'enlisement de nos révoltes. Nous voulons vivre avec les hommes. Nous voulons rire avec eux
et courir tous ensemble au bord de la rivière.

Ils ont enfermé la montagne et la mer. Nous sommes
les volcans qu'ils ont mis en cage. Nous sommes celles
qu'ils ont voulu approprier. Nous sommes la mer sans
rivage. La mer qu'ils croient posséder quand ils sont les
bateaux sans boussole et sans rames. Que disent-ils?
Que veulent-ils? Que nous jouissions comme eux? Que
veulent-ils? Que nous soyons rassasiées pour pouvoir
dire, elle m'appartient. Ils veulent que notre désir ait
une fin pour être plus sûrs que personne ne viendra
après eux.

Alors, ils inventent. Ils parlent à notre place. Ils nous
apprennent les discours que nous récitons pour leur
plaire. Ils croient pouvoir converser avec nous. C'est à
leur ombre qu'ils parlent. Car la bouche avide de la
mer n'est jamais rassasiée. Plus ils nous font l'amour.
Plus ils nous emplissent. Plus ils nous vident. Plus ils
nous font l'amour. Plus nous avons de désir. Plus nous
devenons le monde. Plus nous sommes disponibles.

Mais ils se bouchent les oreilles pour pouvoir nous
approprier. Ils ont leurs mots pour nommer, enfoller,
emmurer. Ils ont leurs mots prêts afin qu'aucune n'ose

ouvrir les jambes assez grandes pour qu'il y entre les montagnes et les fleuves, les ravins et les volcans, les fougères et les maisons, la musique et les couleurs. Tout est prêt pour qu'aucune n'ose braver les pièges qu'ils tendent aux évadées et dise enfin : nous aimons les hommes. Nous aimons l'amour. Nous aimons l'amour si fort que nous le voulons libre et sans fin. Plus nous en avons. Plus nous en voulons. Ils ont préparé leurs pièges pour que pas une n'ose dire : ils sont dans ma joie comme les navires sur la mer. Car, alors, à qui les femmes si nul ne peut les combler ?

Alors, ils ont fait de nous la mort. Ils ont inventé les conseillers conjugaux. Les cliniques du sexe. Les éducateurs sexuels. Les psychanalystes. Les psychothérapeutes. Les curés en prêt-à-porter et en haute couture. Les dynamiteurs de groupe. Les inséminateurs de créativité. Les initiateurs de libre expression. Les clubs fermés. Les lieux ouverts. Tous ces charlatans de notre commune misère. Ces rapaces de notre renfermement. Ces champignons de notre désespoir. Et elles. Au lieu de crier menteurs. Elles ont crié merci. Au lieu de crier assez. Elles ont crié j'ai guéri.

Ils ont fait de nous des mortes. Et ils sont seuls. Ils nous ont dit pareilles à eux. Et nous les avons crus. Ils sont les clients des prostituées, les effeuilleurs d'images d'entrecuisses, les voyeurs d'orgasmes de pellicule. Ils ont voulu nous approprier. Ils n'ont plus que le bois mort à qui parler. Ils n'ont plus rien entre les bras. Ils sont seuls.

144

Mais, ils disent qu'ils vont me guérir. Qu'il faut que je devienne une vraie femme. Coquette, menteuse, intuitive. Habillée d'un rien. Montrant ses jambes pour se vendre. Jetant un œil pour séduire. Une vraie femme, douce et maternelle. Ils ont écrit sur mon bulletin, en progrès. Il ne leur reste plus qu'à mettre sur ma cuisse le cachet de la viande propre à la consommation.

Ils disent qu'ils me laisseront partir quand je m'habillerai comme une femme. Mais je n'aime que mes loques. J'y reconnais mon odeur. Ils disent que je sens le sang. Ils me laisseront partir quand je ne sentirai plus rien. Mais j'aime l'odeur de la coulée rouge le long de ma cuisse. J'aime le sang de mon ventre. J'y entends le battement profond de notre mémoire enfouie. J'aime l'odeur de mon sang comme celle du foin dans la grange du village. J'aime son long cheminement dans les gouffres de ma chair. J'aime cette résurgence jaillissante dans le retour de l'été. Éclatante. Joyeuse. Frénétique. Ils disent qu'il faut me peigner mais ils m'ont rasée. Ils disent qu'il faut que je sourie, mais ils ont fait de moi la gargouille au portail des cathédrales où je n'ai pas de place.

Ils disent qu'ils veulent me guérir. Ils déracinent.les arbres et s'étonnent des branches desséchées. Ils empoisonnent la terre et crient famine. Ils nous ferment la bouche et se plaignent de quoi au juste? Ils sont tout à fait seuls. Ils crient. C'est leur voix que renvoie la montagne. Ils se penchent, c'est leur visage que l'eau reflète. Ils nous embrassent, c'est eux-mêmes qu'ils touchent.

Nous sommes devenues de ce qu'ils ont décidé pour nous. Nous récitons ce qu'ils nous ont appris. Nous peignons des fleurs. Nous écrivons des romans d'amour. Nous chantons des berceuses. Nous nous fragilisons pour être protégées. Nous nous dévouons pour être tolérées. Nous renonçons pour être acceptées. Nous en mourons.

Ils n'ont plus dans leurs bras que des mortes. Des marécages, ils ont fait des bassins. Des montagnes, des enclos. Des torrents, des canalisations. Nous n'allons même plus aux lavoirs. Il y pousse les algues de notre désespérance. Nous mourons seules derrière nos machines. Nous mourons de tristesse dans nos corps emmurés, nos paroles arrachées, nos vies exfoliées. Nous ne courons plus dans les ruisseaux. Nous ne sautons plus les torrents. Nous ne grimpons plus aux arbres.

Mère la mort, regarde ce qu'ils ont fait de nous. Nous haïssons nos corps quand ils n'entrent pas dans les habits qu'ils taillent pour nous. Nous maquillons nos visages pour leur plaire. Mais nos peaux dessèchent sous les masques. Nous faisons les mouvements des fils qu'ils tiennent dans leurs mains. Nous marchons au pas dans leurs revues. Ils nous apprennent à haïr nos sœurs pour mieux régner sur nous. Ils nous apprennent à attacher le carcan de nos filles de peur qu'elles ne s'évadent. Ils nous apprennent. Mais quoi donc?

Je ne sais plus. J'oublie de plus en plus. Je désapprends petit à petit tout ce qu'ils m'ont appris. Je sais seulement qu'ils disent que j'ai une maladie et qu'ils veulent me guérir. Ils ont préparé leurs pièges pour que pas une n'ose dire, ils sont dans ma joie comme les navires sur la mer. Ils ont préparé leurs noms pour que nous n'osions pas dire, nous voulons connaître nos pères, nos frères, nos maris, nos amis. Ils ont préparé leurs noms. Ils disent l'exogamie. L'exogamie. De quoi ont-ils peur? Nos jambes sont assez larges pour qu'elles contiennent des tribus entières. Rien ne peut nous combler. Ni nos pères, ni nos frères, ni nos maris, ni nos amis. Ils disent que j'ai une maladie. Comment déjà? Ils disent qu'ils veulent me guérir. Nous allons te guérir, disent les bateaux à la mer. Nous allons faire de toi une femme, disent-ils aux vagues déchaînées. Nous allons te rendre à la raison, disent-ils à l'eau qui va les submerger.

Ils veulent me guérir. De quoi? De la mort qu'ils ont mise en nous? Du renfermement où ils nous maintiennent? De la folie où ils nous jettent quand nous nous révoltons? Ils disent qu'ils veulent me guérir. De quoi? Des mots qu'ils ont mis sur mon ventre? Des paroles qu'ils ont dites à ma place? Des phrases qu'ils ont prononcées pour me faire taire? Ils disent qu'ils veulent me guérir. De quoi donc, à la fin? Ils veulent que je sois à leur image. Pour être sûrs de s'entendre. Ils veulent satisfaire mon ventre pour être sûrs de se l'approprier. Ils veulent que j'aie une identité pour être sûrs de la contrôler.

Mais voilà. Je leur échappe. Nous leur échappons. La mer rompt les digues où ils l'ont enfermée. Nous sommes la mer et les orages. Nous aimons les vaisseaux de leurs nudités parcourant notre infini. Mais ils n'en feront jamais le tour. Plus ils voguent sur nous, plus ils nous rendent profondes. Plus ils écopent de l'eau, plus il en vient. Des profondeurs. Des millénaires. Des golfes effondrés enlisant les oiseaux.

Ils n'en feront jamais le tour. Ils naufragent éjaculés, sans atteindre l'outre-mer dont ils disent, ce sont mes terres. Mais elles leur échappent toujours. Ils s'égarent dans nos jungles. Ils dégénèrent dans nos moussons. Ils s'enlisent dans nos tropiques. La petite mort. Ils disent, ce sont mes terres, mais ils s'y perdent. Ils nomment les montagnes mais elles les écrasent. Ils barrent les rivières mais elles les emportent. Ils déboisent les forêts mais elles les affament. Ils ont fait de nous des mortes, et ils n'ont plus personne de l'autre côté du carreau. Ils parlent très fort. Mais ils monologuent.

La fenêtre ouverte de tes bras. Les chênes et les buis n'ont pas encore changé de couleur. Ou alors, imperceptiblement. Comme les jours de l'été immobile. La rivière ne sera jamais à sec. Contre toute attente. Je vais survivre. Par quel miracle? Par quel tranquille balancement de la hanche des femmes? Par quelle odeur de cire? Par quel pain et fromage rangés dans le tiroir de la table? Par quel bois que tu rentres pour que je vive au moins jusqu'au printemps? Par quelle passoire pendant à l'étagère? Par quel banc rapproché contre la table pour m'empêcher de tomber? Par quelle couverture tricotée pour abriter mes jambes paralysées? Par

quel remontoir en porcelaine? Contre toute attente,
je vais survivre. Peut-être à cause des carreaux rouges
de la cuisine. On n'y voit pas mon sang quand il coule.
Et toi, qui sais, tu ne dis rien. Je vais survivre par les
oiseaux dans la falaise. Par le tournant de l'escalier de
pierre. Par le thym poussant dans la façade.

Je vais survivre dans le chien mordu qui hurle. Elle
est sur le balcon, dévidant ses écheveaux de laine. Écru,
bisé, grisé, burel. Les couleurs de ma peine. Elle croit
qu'il va survivre. Tant qu'il hurle, c'est qu'il est vivant.
Je vais survivre. L'ombre de la montagne, en face, n'est
plus tout à fait la même.

Terre verte. Bleu azural. Violet minéral. Comment
disent-ils déjà? Silicate d'alumine. Manganate de
baryum. Phosphate de manganèse. Ils disent que je
n'apprendrai jamais ni la peinture ni la chimie. Je m'applique mais rien n'y fait. Ils parlent de la soude. Je vois
les femmes penchées sur leurs éviers. Ils parlent du fer,
j'entends le forgeron aux yeux brûlés. Ils parlent du
charbon, j'écoute les fougères déposer dans la terre la
mémoire du monde. Je m'applique, mais rien n'y fait.
Ils me jettent hors de l'école. Je n'apprends ni la grammaire. Ni la chimie. Ni les échecs. Ni le ménage. Ni le
maintien. Ni la politesse. Ils enferment mon corps. Je
m'évade des barreaux de leurs conjugaisons. Ils me
marient. Je dévore mes enfants. Ils m'obligent à la
concordance des temps. Je me dissous dans le monde.

La tumeur de mon cerveau enfle comme la fleur monstrueuse de leurs villes irradiées. Je ne sais plus leurs

noms. J'oublie petit à petit tout ce qu'ils m'ont appris. Je désapprends à parler. Je ne sais plus mon nom. Quel centre vital est-il touché? Ils consultent leurs fiches. Numérotent mes encéphalogrammes. Dressent les cartes de mes lésions. Pour quel voyage sans retour? Pour quel voyage de retour? Pour quelle traversée de l'espace et du temps? Pour quelles retrouvailles, après tant de séparations? Ils cherchent le nom de cette tumeur qui enfle dans mon crâne. Ils envoient mille lumières dans ma tête. Ils déplient sur leurs bureaux les feuilles de ma souffrance. Cher confrère. J'ai l'honneur. Le cas de Madame. Comment déjà? La tumeur enfle chaque jour un peu plus. Je désapprends tout ce qu'ils m'ont appris. La cuillère à gauche et le couteau à droite. Non, la fourchette à gauche. La cuillère et le couteau à droite. Je ne sais plus verser dans les verres, laver la vaisselle, brosser les parquets. Ils cherchent le nom de ma tumeur. Elle s'appelle l'amour.

Tu as dégagé complètement la partie enterrée de la maison. Tu as commencé à reconstruire le mur écroulé qui nous en sépare encore. Tu es là avec ta ficelle. Tu l'accroches à ma bouche. Tu assures la verticalité. Tu vois bien que mon épaule avance. L'épaule monstrueuse qui me bouche l'horizon. L'épaule entre le soleil et ma chair. L'épaule crispée si fort que les couturières refusent de me faire des habits. L'épaule qui disait toujours. Tu ne trouveras pas de mari. Tu vois bien que mon épaule dépasse. Mais tu l'englobes enfin dans la corniche.

Je vais survivre. Tu replaces les pierres le long de ton

fil à plomb. La mort tricote sur son ventre dilaté. Une écharpe pour m'étrangler. Une couverture pour m'étouffer. Un manteau pour me cacher. Tu redresses le mur. Depuis combien de temps, déjà? Nous ne savons plus. Le ciment coagule dans mes veines ouvertes. La mort tricote en gestant. Le plâtre sédimente dans ma bouche asséchée. La mort tricote pour quelle exécution? L'enduit durcit dans mes mains tendues. La mort m'étouffe dans sa matrice. Je suis un morceau de bois mort tendu vers tes bras grands ouverts. La mort tricote au-dessus de son panier d'osier. Combien de sacs de ciment as-tu rangé dans la grotte? Combien de pierres entassées dans l'écurie déserte? Combien de planches récupérées dans les meubles abandonnés? Juste de quoi me faire un cercueil. Un tout petit cercueil que tu emporteras sur ton dos, à travers la montagne. Un tout petit cercueil que tu emporteras, cherchant la tombe qui n'existe qu'en mon front.

Tu m'as offert un jeu de cartes. Il y en a toujours le même nombre. Mais les figures ont disparu. Du fou, ils ont fait l'excuse. Quant à la mort, il n'y en a plus trace.

Je vais survivre. Jusqu'au dernier moment. Encore une fois. Une toute petite fois. Avant la mort. Je ne peux retenir les mots qui glissent hors de mes doigts. Je ne peux retenir les mots qui suintent de mon corps. Je ne peux retenir les algues autour de ma tête gestante. Jusqu'au dernier moment. Encore une petite fois. Un accouchement mortel. Un glissement hors de moi-même.

Je lègue les noisettes de mes poches aux enfants rassasiés. La marche dans la nuit aux aveugles. L'abreuvoir aux chevaux de la tapisserie. Le colombier aux oiseaux migratés. Les pierres aux emmurées. La rivière aux noyés. Les arbres aux vivants. Les ravins aux malades. La montagne aux follants. Je lègue ma mort aux suicidants. Mes amours aux amants. Les oiseaux-pieuvres aux contes pour en faire les dragons qu'ils ne reconnaîtront pas.

Je garde pour moi seule le bonheur. Je garde pour moi seule l'endormissement. Tes bras ouverts à ma détresse. Ton épaule écopant mon malheur. Tes mains réfractant la lumière. Les jours heureux dans la mangrove. Les algues remontant à la surface de mes yeux. Mon corps lové dans la terre qui sédimente. Les reptiles montant dans les arbres. Les oiseaux dans les branches. Je garde pour moi seule l'endormissement. L'angoisse cessante dans le retour de la nuit. Quand je rentre en toi dans la mangrove. Les algues montantes à la surface de ma peau. L'heure bienheureuse entre la terre et l'eau.

Je garde pour moi seule la souffrance. La langue impossible à casser. Les bateaux naufragés. Les millénaires oubliés. Je garde les animaux dans les grottes de mon ventre. Les colliers de dents dans ma bouche. Les silex dans les blessures de mes mains. Les crânes des défunts dans les bouches de la falaise. Le feu de mes parents dans les mots retrouvés. L'errance dans mes bras malhabiles.

Je lègue à mon amour mon ventre en sang. Mon

ventre en joie. Mon ventre en vie. Le sang sur les draps. Le sang sur le parquet. Le sang sur les mains. Le sang de la mort et de la renaissance.

Ils disent qu'ils n'aiment pas le sang. Ils disent que nous sommes impures. Ils nous relèguent à l'extérieur des villages. Ils nous interdisent de cuire la viande. Ils nous interdisent l'amour.

Et nous les croyons. Nous avons honte. Nous avons mal. Nous dissimulons notre gêne. Nous malnommons les jours heureux. Nous avons nos affaires. Nos trucs. Nos machins. Ils disent qu'ils n'aiment pas le sang. Ils s'en détournent. Ils nous excluent. Ils nous enferment.

Je n'aime pas le sang, dit l'homme. Mais il ne peut l'oublier. Il invente les bêtes, les vampires, les dragons. Il est seul. Il n'oublie pas. Il a peur. Il invente les cavaliers tuant la bête, les chevaliers traquant les vampires, les héros délivrant les princesses. Mais cela ne suffit pas. Il n'oublie pas.

Je n'aime pas le sang, dit l'homme. Il nous crée à son image pour ne plus nous voir. Il parle pour nous, pour ne plus nous entendre. Il nous enfolle pour nous faire taire. Mais il ne peut oublier. Le petit chaperon rouge a peur du loup. La belle endormie l'attend au cœur du bois. Le petit poucet échappe au dévorement. Mais il ne parvient pas à oublier. Des vitres, ils ont fait des miroirs. Des montagnes, un écho. Des rivières, des canaux. Mais il ne parvient pas à oublier. La langue garde la mémoire. La petite mort.

Mère la mort, ils n'ont pu oublier. Nous retrouverons ton nom et nous relèverons la tête. Nous ouvrirons tout grand nos jambes. Nous laisserons parvenir à la lumière la lave en fusion. Nos volcans fertiliseront à nouveau les terres qu'ils ont rendues stériles. Nous laisserons nos coulées de sang construire de nouvelles cathédrales. Nous redeviendrons la mangrove chair et sang. Reptile et oiseau. Terre et eau.

Mère la mort, nous redeviendrons ton corps d'avant la séparation. Nous ouvrirons tout grand les jambes. Nous laisserons couler le sang bienheureux qui les délivrera. Nous les délivrerons du pouvoir qu'ils exercent sur notre identité. Nous les délivrerons de notre asservissement. Nous les délivrerons de la prostitution, de la compétition et de la débandade. Nous les délivrerons de leur peur et de nos mensonges.

Les enfollées relèveront la tête. Dans nos ventres en sang, nous leur rendrons leur mort pour qu'ils renaissent avec nous. Nous irons vers eux avec nos ventres en sang. Nous marchons vers eux depuis tant d'années qu'ils nous tuent et que nous nous mentons à nous-mêmes. Nous les délivrerons de leur angoisse puisque l'amour n'a pas de fin. Nous les délivrerons de leur jalousie. Nos ventres sont assez vastes pour y contenir toutes leurs nudités. Nous les délivrerons de leurs appropriations. Nous sommes l'innommable. Le singulier de leurs conjugaisons. La mort insatiable que nul ne peut posséder. Nous les délivrerons de leur pouvoir et de notre mensonge. Nous les délivrerons de leur peur et de notre finitude. Nous avons les bras assez larges pour les aimer tous.

Le sang bienheureux dans les conjugaisons de ma vulve. Le corps en joie dans la fête qu'il se donne à lui-même. Serre-moi fort, mon amour. Serre-moi entre tes bras de vivant que je parvienne à l'autre rive. Tresse ensemble tous tes doigts pour m'en faire un berceau, nacelle fragile de quel voyage où tu ne peux m'accompagner. Tisse la trame de mes cheveux dans la chaîne de ton corps. C'est ton arbre qui me donne la vie. Serre-moi fort, mon amour, nous marchons vers le jour. Ils disent qu'ils veulent me rendre à la raison. Mais, là-bas, la montagne derrière la maison.

Serre-moi fort, mon amour, pour ce tragique voyage, dans le ventre du poisson. Serre-moi fort. Elle va m'étouffer. Je crie vers toi. Les courants d'eau m'environnent. Je suis dans sa matrice. Les vagues et les flots passent sur moi. Son ventre se resserre. Les eaux m'étreignent à la gorge. Les algues enserrent ma tête. Elle m'étouffe. Je suis descendue jusqu'aux racines des montagnes. Elle va me digérer. Les barres de la terre m'enferment pour toujours. Mais non. Il y a un autre mot. Un mot qui veut dire tout ensemble le verrou et la fuite. Un mot qui veut dire son contraire. Un mot dans la montagne, entre deux vallées. Un mot dans nos corps, au plus profond de nos ventres. Un mot entre le silence et le vagissement. Un mot pour dire le verrou et la fuite. Un mot pour dire la mort et la renaissance.

Serre-moi fort, mon amour, pour remonter le cours

de la rivière qu'ils ont détournée. Dans une chanson. Les vivres viennent à manquer. On tire à la courte paille pour savoir qui sera mangé. Un mousse monte en haut du mât. Il voit une ville et des oiseaux.

Prends-moi dans tes bras pour contourner les rochers qu'ils ont accumulés. Embrasse-moi pour retrouver dans nos corps enlacés la source perdue sous les débris de leurs mensonges. Prends mon ventre quand il s'entrouvre, laissant le passage à la rivière rouge qui nous emmène vers l'absence de port. Donne-moi la main pour le gué qui mène de l'autre côté de la montagne.

Nous marchons. Serre-moi fort, mon amour. Nous remontons le flot sanglant vers la bouche de la falaise. Vers la source enfermée dans le langage que je ne peux casser. Vers la source perdue, là-haut dans la montagne. Vers la source qui a gardé ton nom.

Ils disent que le village aura bientôt l'eau. Ils disent qu'ils vont capter la source. Ils disent qu'ils vont l'amener jusqu'à eux. Mais la source elle-même vient d'autre part. La source elle-même est résurgente. Une résurgence dans mon ventre quand il enfante la mort. Une résurgence dans ma chair en fusion quand elle vient à ta rencontre. Quand le sang de la terre devient mon corps de chair. Quand la bouche du volcan charrie l'incandescence des rencontres manquées. Quand les algues rouges se détachent de nos matrices pour monter à la surface de nos ventres. Quand la terre s'exfolie pour porter à l'homme l'évidence. Mais il s'en détourne. Il a peur. Il l'enferme. Elle le croit. Elle a mal. Elle se tait. Il est seul.

Mais le serpent dans l'arbre. Mais le serpent dans l'escalier de la maison. Mais le serpent au bord de la rivière. Mais le serpent de ton sexe dans le marécage de ma vulve. Mais la mémoire du temps d'avant. Le cours de la rivière inscrit dans mon corps. Le chemin qu'on connaît et qu'on ne peut retrouver. Les arbres qui ont poussé, cachant la rivière quand elle s'enfonce dans les gorges. Les arbres qui poussent, entourant le chevalier. La forêt qui s'épaissit autour de la belle endormie.

Les algues poussent dans les lavoirs. Les soleils immobiles dans la source de tes mains. Les fontaines qu'ils captent mais qui coulent si fort qu'ils ne peuvent les retenir. Les fontaines dans nos mains deviennent les rivières. Les fontaines dans nos mains retournent à la mer.

Les algues des lavoirs. Les lavoirs dont on ne se sert plus. Il n'y a pas d'eau dans le village. Mais personne ne vient laver ses habits. Les familles sont parties une à une. Les vignes s'embroussaillent. Les troupeaux se dispersent. Les murets s'effondrent. La première clôture. La nuit et le jour. L'eau et la terre. Le sang et la chair. Les femmes et les hommes. La mort et la vie. Les fils s'en vont à la ville. La vente des terres paie le tracteur. Le chien est mort de sa morsure. Les nouveaux venus ont transformé les terrasses en fortins. Ils ont décroché les fils à linge qui enjambaient les rues. Verrouillé les portes. Installé des sonnettes. Fermé les boîtes à lettres. Gravé des plaques à leur nom. Ils ont si bien fait qu'ils ont tout séparé. Ils ont si bien fait qu'ils ont tout nommé. Ils ne m'ont laissé qu'une soif que rien ne peut combler.

Mère la mort, je cours vers toi pour survivre. Je cours vers toi cherchant ton nom. Je l'ai lu une fois dans un livre. Mais ils l'avaient tant bouleversé que je ne l'ai pas reconnu. Pourtant, je le connais. Je l'entends battre dans ma vulve en sang. Je l'entends battre dans mon ventre sans conjugaison. Je l'entends battre dans mon corps digestant.

Ils vont venir me reprendre. Ils vont venir me chercher. Ils vont venir m'enfermer. Je les attends. J'ai déjà mon manteau. Ils ne me donneront plus à boire, ni à manger, ni à dormir. Ils me jetteront nue sur le carrelage. Et je crierai ton nom.

Allez, laisse. Je t'entends qui transporte tes tombereaux de terre vers le ravin. Tu as creusé si fort que nous avons retrouvé les dalles du sol. Tu as creusé si fort que nous avons retrouvé la cache de leurs fusils. Tu as creusé si fort que nous avons retrouvé une autre maison sous la maison. Mais c'est trop tard. Les corps mutilés ne fleurissent plus. Les infirmes boitent sous les amandiers.

Allez, viens. Allons de l'autre côté de la rivière chercher le quartz rose, la malachite, la tourmaline. Viens, mon amour. Mais le pont est abandonné. La rivière l'a emporté. On ne l'a pas reconstruit. On ne cultive plus les terres de l'autre côté de la rivière. La terre arrachée au désert retourne au désert. Allez, viens, mon amour, le sentier continue de l'autre côté de la montagne. Il est perdu sous les chênes.

Viens, le pont est détruit. Il faut passer à gué. On le peut seulement au plus profond de l'été. Quand la rivière est presque à sec et qu'on y voit les galets rouges. Allez, viens. Laisse tes pelles et ton ciment. N'aie pas peur. Les falaises ne tombent pas. Elles sont le corps des femmes qui digèrent les maisons qu'elles abritent. Elles sont le vent et la pluie. Les orages et les sources.

Viens, l'eau n'est pas très profonde. Le chemin continue de l'autre côté de la rivière. Le sentier monte en haut de la montagne. Le chemin continue sous les pierres éboulées. Juste un gué. Donne-moi la main. Le courant est plus fort qu'il paraît. Tu fais un pas. Je te tiens. Je fais un pas. Tu me tiens. Viens, mon amour. Juste un gué. Tu as de l'eau à la cheville. Viens, la rivière emportera ce qu'il me reste de ciment. Un gué. Elle est sur le balcon dévidant ses écheveaux de laine dans le panier d'osier. Nous avançons dans la rivière. Elle nous a reconnus. Elle fait un signe. Tu as de l'eau jusqu'aux genoux. J'ai de l'eau dans ma cuisse entrouverte. N'aie pas peur. Tout à l'heure, nous en aurons bien davantage. Le sentier continue dans nos ventres réunis. Le sentier monte dans la montagne. Le courant est plus fort qu'il paraît. Tiens-moi la main, nous sommes presque au milieu de la rivière. Nos ventres continuent dans les pierres éboulées. Nous sommes tout à fait au milieu de la rivière. Le mitan du lit. Les chevaux du roi viennent y boire ensemble. Le courant n'est pas si fort qu'il paraît. J'entends le gémissement de l'aulne sur l'autre rive. Le bruissement de ses feuilles argentées.

MÈRE LA MORT

La plainte de la femme qu'ils y ont enfermée. Elle est sur le balcon. Elle nous fait un signe. C'est bien là qu'on traverse. Je fais un pas. Tu me tiens. Tu fais un pas. Je te tiens. Elle dévide son écheveau dans le panier de ma peine. Écru, bisé, grisé, burel. Les couleurs d'autrefois. Nous avons de l'eau dans nos corps enlacés. Le sentier continue sous les pierres éboulées.

Les larmes sont comme la lumière des étoiles. Elle nous parvient quelquefois quand la source en est tarie depuis longtemps.

CET OUVRAGE A ÉTÉ ACHEVÉ D'IM-
PRIMER LE VINGT JANVIER MIL
NEUF CENT SOIXANTE-SEIZE SUR
LES PRESSES DE L'IMPRIMERIE
FLOCH, A MAYENNE, ET INSCRIT
DANS LES REGISTRES DE L'ÉDITEUR
SOUS LE NUMÉRO 1162
(14002)

Imprimé en France